U0118451

形體大師的心得——默劇藝術文匯（上）

Mimes on Miming: Writings on the Art of Mime

原編者：芭莉·羅夫 Bari Rolfe

譯者：一本·小雪

記得用您的手機掃描頁頂的二維碼
來欣賞大師們的精彩演出！

目錄

導賞

二十世紀的默劇：直到1950年

二十世紀的默劇：現代默劇

——法國——

中文版序

霍達昭

　　印象中香港在上世紀七十年代已經引入默劇表演，但座上客百份之九十九是外國觀眾，而我只是其中百份之一的另類，能夠接受這冷門藝術是因為我當時正從事現代視覺藝術（繪畫、雕塑），所以對默劇有種好奇又深愛的感覺。由1982年一次意外粉墨登場，在一個劇團演出中場休息，做了一個15分鐘自以為是的默劇表演，到1984年又誤打誤撞參加藝穗節，演出似是而非的街頭默劇，從此便與默劇結下不解之緣。坦白說，那時我的所謂默劇表演，純粹是抄襲，但卻對默劇一無所知。

　　我於1985年得到英國文化協會的贊助遠赴英國，在狄士文・鍾士默劇學校（Desmond Jones School of Mime）學習默劇，卻發現默劇書本非常難找，後得鍾士老師慷慨給我數本默劇書，當中包括這本《Mimes on Miming》，之後再在倫敦的舊書店尋覓，現時書架總算有14本可讀的默劇書。

　　默劇在西方劇界存在超過千年，喜歡默劇的人不少，但即使是戲劇界，對默劇類別、發展過程和形式的認識不多，主要原因如上所說，就是默劇相關的書籍和著作非常少，在倫敦和紐約坊間書店（除了舊書店或少數藝術專門店），幸運的可能找到一兩本，就算是大型圖書館，即使找到也多是默劇入門技巧的工具書，但也只有一兩本，能全面認識默劇這門藝術的，猶如鳳毛麟角，而中文述說更絕對稀罕。《Mimes on Miming》可說是一本全面講述西方默劇發展過程，而且非常珍貴又近乎絕版的書，現由有豐富默劇表演經驗的默劇愛好者一本・小雪，幾經波折，找

到持有原書主編芭莉·羅夫女士正式授權再授權的一位退休藝術家,取得翻譯版權,再經長時間琢磨,才完成這部分的中譯本。

　　希望這本書能給大家對默劇,一門被西方劇界認為是「表演藝術中的藝術」,提供更深入的了解和認識。

譯者序

雖然英文書名開宗明義說「Mimes」，但我認為這不只是一本默劇書，而是所有表演者都會從中得益的藝術心得結集。

三十年來，接受過默劇訓練，參演過街頭和劇場的默劇表演，更看了不少默劇演出，如今我竟然得到與近四十位近代形體大師神交的機會，把他們的心得翻譯為中文，向更廣大的藝術愛好者推廣形體和默劇藝術，實在是我莫大的榮幸。

得到這個機會的過程十分奇幻。2018年中，我在霍達昭老師的家中初次接觸芭莉・羅夫女士編彙的《Mimes on Miming: Writings On The Art Of Mime》。這本書起初看似沒有什麼實用之處，細細讀來，方驚覺羅夫女士實在是為默劇藝術做了一件大事：集合了不同時空、地域、背景、藝術訓練的藝術家，就運用和領會形體的第一身心得。

我生起翻譯本書的念頭後，查出羅夫女士已在美國註冊版權。可惜她已在2002年去世，本書的出版社亦無跡可尋。羅夫女士生前創辦的美國奧克蘭沙博學院默劇學院(Conservatory of the Mime, Chabot College)，也已經停止運作多年；她並沒有子女，親人只有同父異母的兄弟和侄兒侄女。為了取得翻譯授權，我在社交媒體搜尋相信是羅夫女士的侄兒及侄女，並傳出訊息希望連繫。毫不意外，二人可能見我是個陌生中國人，更來自遠在千里的香港，不予回覆。線索中斷，徒呼荷荷。

我鍥而不捨，唐突地向曾經導演過我有份參與的兩齣默劇的英國默劇家兼導演彼德・莉妮(Peta Lily)求助，她慨然應允，四處托人打

聽，終於在約一個月後，經戲劇專家馬克·伊凡士教授（Mark Evans）轉介給美國默劇家湯馬士·李拔先生（Thomas Leabhart），再由李拔先生轉介到美國演員里安納·彼哲（Leonard Pitt），最終找到了羅夫女士授權處理其作品版權的好友菲蘭特女士（Spring Friedlander）。莉妮女士旋即發電郵查詢。

不幸地，菲蘭特女士在莉妮女士的電郵到達前三天去世了！

或許是冥冥中有注定，菲蘭特女士的行政助理在整理她的遺物時，在她的電郵中發現莉妮女士的訊息。熱心的助理經過一輪翻查，回覆說菲蘭特女士在2012年尾已經委託加拿大木偶藝術家高迪先生（Luman Coad）為其遺產執行人，而助理還附上高迪先生的電郵地址。

意想不到的是，我給高迪先生的電郵給打回頭！電郵地址已不存在。再經過一輪網上搜尋，發現高迪先生原來已經退休，並結束他的木偶劇團。他沒有其他社交媒體帳號…

線索又斷，身邊的朋友也勸我放棄。我基於尊重知識產權的原則，死心不息，又一次搜尋所有關於高迪先生的資料。在不知第幾頁的搜尋結果中，突然看到一句：「您好，我已經退休了，現正專注於出版工作，我的出版社電郵是……」

當高迪先生聽完我的說明後，本以為他會收取一筆授權金，但可能他受到我的誠意和詳細的出版計劃所打動，竟然只要求我捐出部分收入給三藩市設計及演藝博物館（Museum of Performance and Design in San Francisco）作為版權費！我真的是求之不得！

原書收錄了古希臘至1970年代的默劇歷史，相信有十六、七萬字，現暫譯出「二十世紀：直到1950年」及「二十世紀：現代默劇」兩部分，結合成上集。此譯本共收錄39位形體大師的經驗之談，大部份是第一身分享，當中包括鼎鼎大名的現代默劇泰斗德庫（Etienne Decroux）、巴洛（Jean-Louis Barrault）、樂寇（Jacques Lecoq）、卓別靈（Charlie Chaplin）、諾貝爾文學獎提名人科萊特（Sidonie-Gabrielle Colette）、無人不識的馬素（Marcel Marceau）、舞蹈大師拉邦（Rudolf Laban），以及多位風靡萬千觀眾的形體演員和小丑、闖出默劇新天地的瑞士默劇團和從革命和社會議題萌芽的三藩市默劇團等等。

　　關於默劇的中文書，在香港的公共圖書館只能找到兩本。一本是樂寇著作，由臺灣馬照琪女士從法文原著翻譯的《詩意的身體》（法語：Le Corp Poetique，出版社：桂冠圖書股份有限公司），馬女士肄業於樂寇創立的默劇學校，雖然未能受教於樂寇本人，但卻繼承其傳統，並且對樂寇的教學理念有深厚的認識。另一本是臺灣耿一偉先生所著的《現代默劇小史》（出版社：黑眼睛文化事業有限公司），屬於臺灣牯嶺街小劇場的《劇場手邊書系列》。耿先生是2012至2017年的臺北藝術節總監，同時亦是臺北藝術大學戲劇系專技助理教授。他的《現代默劇小史》參考了十多本外國的默劇書籍編成，芭莉・羅夫女士的《Mimes on Miming》亦包括在內，其文筆流暢，學術性強，是了解西方及現代默劇發展史的好讀本。

　　然而，作為熱衷默劇並參與其中的一份子，單從理性上了解由第三者所整理的默劇源流等客觀事實，只能滿足我部份的求知慾。我更想要的，是從默劇人自己的文字中感受他們如何找到內裡、形體與世界的交接點，並且分享他們的激動和內省的時刻。我想，這也是羅夫女士決定

花這麼大力氣去選輯二千年來默劇人的自我表白精華的原因。她的選文涵蓋古羅馬、英、法、美國，甚至中國及日本的默劇大師，更包含幾篇「反默劇」的小文。雖然有些文章看似沒有太多偉論，但卻提供了投入默劇藝術的感性渠道，並隱藏著不少大師對劇情結構、牽引觀眾和訓練方法的心得。

翻譯的過程並不容易。首先是現代默劇離不開法國的影響，所以原文裏有不少法文詞彙需要理解，而且無論是英文或法文，都要具有戲劇及形體訓練的基礎，才能分辨出同一個詞語在不同內容情景裡的正確含意，例如Movement一字，我斟酌再三，按內文意思選用了數個不同的中文詞彙表達。事實上，全書最難譯的字正是Pantomime，因為它在不同的段落中的意思也不一樣。其次是二十世紀初期美國與法國的演藝界雅俗並存，特別是美國民間當時流行的演出形式，許多已不復見，追蹤當年的表演歷史和人物頗花工夫。再者，是英文與中文的表達方式截然不同，生吞活剝地直譯根本不能傳達準確的文意，我只能盡我所知，力求重現我理解的意思。一些在英文中能心領神會的精簡語法，本書譯文會適度解構擴張，使之接近中文句式，令讀者易於明白。另外，原書付印時，多位書中介紹的默劇人仍然在世，為免令中文版讀者混淆，若原著中的當事人已經去世，會加上其離世年份。

我在此亦要感謝我的老師霍達昭先生，允許我把他所撰寫的《香港默劇的昨天、今天》加入作為此書的附錄。

此書的另一部份正在翻譯中，其內容縱橫古代、中世紀至文藝復興、東方默劇 (如能劇和京劇)，更有一個「反默劇」章節，而其中一位作者就是鬼才導演活地·亞倫 (Woody Allen)。

此書得以完成，我衷心感謝莉妮女士、伊凡士教授、李拔先生、彼哲先生，菲蘭特女士的行政助理、高迪先生、霍達昭先生、胡慧敏女士、張澤文先生，以及香港中文大學中國文化研究所《二十一世紀》刊物。

譯本不善之處，文責在我，希望大家包涵、指正。

一本·小雪
二零一九年十二月

芭莉·羅夫女士生平簡介

　　芭莉·羅夫女士(1916–2002)身兼舞者、編舞家、教師及默劇家，演出遍及美國、歐洲和墨西哥，被暱稱為「美國默劇的祖母」。她在美國芝加哥出生，自幼修習芭蕾舞，長大後成為活躍的舞者。

　　1950年代，她移居三藩市，第一次看到馬塞·馬素的默劇演出，深受感動。數年後，她親赴巴黎，分別在德庫和樂寇的學校學習默劇。

　　根據羅夫女士的密友透露，她在巴黎的三年間，與馬素墮入愛河，直至她離開歐洲回到美國發展。其後，她聲名漸盛，並曾於多所美國大學任教默劇。

　　羅夫女士於2002年10月19日在美國柏克萊與世長辭，終年86歲。她著有多本關於默劇的書籍，包括《面具背後》(Behind the Mask, 1977)、《意大利即興喜劇：場景研習》(Commedia dell' Arte: A Scene Study Book, 1977)、《歷史劇的形體動作》(Movement for Period Plays, 1985)、《默劇引人入勝的歷史》(History and Mystery of Mime, 1990)。她對整理默劇發展史甚有貢獻，其主編的《Mime Directory Bibliography》(1978) 及《Mimes on Miming》(1980)，為研究默劇的人留下了珍貴的資料。

前言

芭莉·羅夫

　　默劇人「討論」默劇？看起來很矛盾吧，默劇人不是選擇用形體而非語言或文字來表達嗎？出人意表的是，有關「默劇」的資料實在太豐富了。如讀者覺得某些內容有趣、顛覆，或可喜，我只可遺憾地說：「是啊，其實還有很多資料沒被納入！」

　　我希望所有劇場愛好者都會覺得本書值得一讀。本書的很多選材，是特地以演員、舞者、小丑、導演、編舞家、歷史學者，或電影迷為對象。除此之外，現實中有許多交匯的藝術形態：默劇人同時又是舞者，或又拍電影，又當小丑……幸而，形式的界綫總有方法掙脫放大鏡般的分析。

　　默劇是什麼？誰可稱為默劇人？「咪～、默劇和Pantomime」一文展示了訂立確實答案的困難性。在文中，讀者會見到互相矛盾的意見。在古希臘及古羅馬，默劇是一種「速寫」或「對話」，例如希臘劇作《赫羅達斯的默劇》及羅馬帝國時期劇作家琉善所著的《風塵女子的默劇》。演出時通常會戴上面具、以形體或舞蹈去演出一個場景的演員，稱為Pantomimes。在中世紀直至文藝復興時期，一種沒有發聲，只用動作展現的劇目稱為「啞劇」（Dumb Show），這種形式就被叫作Pantomime。其後靜默的表演一般就被叫作Pantomime，但這個用字時有變化，且是非常多的變化。

　　Pantomime沒有一個統一論述的歷史，但根據奧圖·比哈治－馬林（Oto Bihalji-Merin）在《偉大的面具》（Great Masks）中所言，在過

往差不多三千年間，Pantomime的蹤跡都可在歷史中找到。這種表達形式的歷史可能更悠久，因為自有人類，就有戲劇，而動作正是第一種表情達意和互相溝通的方法。據我們所知，當默劇這表演形式出現在早期記錄時，它已發展到若干程度且變得多樣化，故此它實際上存在了多久，著實沒有資料。由於更早期的描述太過簡拙，歷史學者通常以希臘和羅馬時期為默劇表演的討論起點。

當然默劇亦以各種「文化默劇」或廣義的Pantomime方式存在：模仿動物的舞蹈、交感巫術（Sympathetic Magic）、豐收舞及宗教儀式。如要包括這些，議題就會比現在要討論的更加廣泛，況且它們應該歸入人類學、社會學、宗教學等的範疇，即使沒被稱為默劇，但這類「文化默劇」亦已有不少討論。

在本書呈現的「默劇」是「舞臺藝術的默劇」，是排演給觀眾看的默劇，而非廣義的默劇。

本書收錄的大部份文章由在臺上獻藝的默劇人所寫，另外，如果我遇到特別重要或可堪細讀，由默劇導師、默劇編撰者、劇評人和戲劇史學家出版的資料，我都會選錄入本書內，特別是早期的資料——在缺乏文獻記錄的情況下，這些材料尤見珍貴。遺憾的是，由於有些默劇人欠缺適切的書面紀錄，故沒在本書出現：例如以色列的Samy Molcho和Shai K. Ophir、荷蘭的Rob Van Reyh，以及美國的Mata and Hari、Tony Montanaro和Claude Kipnis。這本文集雖有些缺漏，或者仍可為從古至今（至大約1950年）的默劇作歷史性盤點。至於現今的默劇界，歷史之手尚未判定誰會永垂不朽，甚至哪些默劇人能憑其天份、運氣或高明的公關，勝過時間的洗禮而為後人記得。因此，我並未能包括或

列出所有當代默劇表演者。有興趣找尋更多資料的讀者，你可以參閱由雪城大學（Syracuse University）視覺及表演藝術學院出版，由國際默劇與啞劇人組織（International Mimes and Pantomimists）所彙編的《默劇名鑑》（Mime Directory），當中記錄了絕大部份當代默劇人的資料。

接著下來的眾多文章將會帶讀者隨著喜劇演員、小丑、雜耍者和雜技藝人的歷史足迹前進：從古希臘及羅馬，喃喃有聲地穿越暗淡的暗道，去到中世紀充滿神秘和神蹟的戲劇及遊樂場攤位；然後去到功架十足、精細、練達的東方「總體劇場」，它融合對白、默劇、舞蹈和歌唱於一爐。接著我們會體驗意大利即興喜劇、伊利沙白一世時期的英國及西班牙文藝復興戲劇中的過場短劇。彷彿隨著鈴鼓的節奏，我們徐徐走進英式默劇Panto和法國的「行動芭蕾」的世界，見到熟悉的音樂廳和馬戲團的白丑（Pierrot）及流浪漢（Charlot）。跟著我們進入風靡百年的法式Pantomime時代；最後在我們眼前掀起帷幕的，是繽紛多彩的全球默劇大觀：小丑、默片笑匠、舞者、綜藝喜劇表演者、超現實主義者、文宣表演者、面具劇藝人，他們全都是默劇人，在電視、舞臺、街道都可見到他們的蹤影。本書展示的是眾多默劇人的許多意念，當中包含所有你能想像的「傻瓜」類型，不過他們都是充滿智慧的傻瓜。那充滿表達力的肢體動作和聽得見的靜默，令他們智慧充盈。

談默劇

多明妮‧寶堅 Dominique Bourquin

> 寶堅小姐是一位瑞士演員，她不時就不同劇場範疇發表文章。此文
> 來自《瑞士默劇一瞥》(Mimes Suisses, Un Aperçu)。

要談論默劇，並給它一個定義，差不多是不可能的。如根據字典，說默劇是模仿的動作，那太狹隘了。說默劇是沒有文字的劇場，是把它貶低至未識文字的小孩的程度；說它是「摘無花之花、登無梯之梯」，又會把默劇局限在猜謎語的遊戲中。默劇是什麼？坊間有許多種說法。

唯一肯定的是，「默劇」一詞的意義已經隨年月改變。在一開始時，它是一種品評時事的無聲戲劇，然後逐漸加入語言，從而伸延成為鬧劇、諷刺劇、小丑。由於強調諷刺，默劇人定型在數類角色形態中，例如「商人」及「法官」等等。其後默劇漸漸獨立，內容不再「為觀眾服務」，老闆們也不欣賞這種表演，它開始變得危險，並成為被懲罰的對象。

日復一日，默劇人成為了幻覺實象家、吟唱者、體操表演者、詩歌朗誦人，如是者逃離了當權者設下的枷鎖。他們在十七世紀大受打擊，面對一連串的禁制，只獲准表演一些無傷大雅的雜技。各類投機僕人哈樂昆 (Harlequin) 和憂鬱白丑角色 (Pierrot)[1]在十八和十九世紀都被迫力爭生存空間。事實上，默劇當時的對手貨真價實，正正是在法皇路易十四時代誕生的悲劇劇場，它正竭盡所能要把默劇趕盡殺絕。然而，默劇逐步在小小的成功上站穩陣腳。它很快有了自己的劇場、自己的明星，廣大的群眾會為默劇界精妙的模仿者、繩上舞者和雜技達人鼓掌。在英國的王

[1] 請參閱各篇文章中的註釋（第180頁）

政復辟時期（Restoration, 1660-1688），哈樂昆式的喜劇式默劇達至高峰。不過，綜藝喜劇的出現很快便再次打擊默劇及迫使它又一次轉型，出現了主要由悲劇演員演出現實派風格的默劇劇目。這類劇目的主角就是白丑，這種定型角色存在了差不多一百年，直至1927年，當最後兩位正統白丑演員菲奧多·泰勒斯（Théodore Thalès）和薩佛林（Séverin Cafferra）退下舞臺為止。

　　　白丑這角色的消失與現代默劇的起始時間剛好吻合。現代默劇的誕生當然要歸功於德庫（Etienne Decroux）。他在第二次世界大戰後完善了他名為「體本默劇」的嚴肅默劇分支。體本默劇帶來前所未有的意象：默劇本能地與身體結合，手臂、手和臉通常只發揮「共鳴」的功能。呈現體本默劇需要面對嚴苛的訓練以淨化動作，令演者完全活在純粹的動作中，所有的外在裝飾完全褪掉。縱使德庫在自己的表演上沒有取得輝煌成就，他仍然是默劇技巧的超級大師。誠然，默劇界有兩個天才誕生，主要都可說歸功於他的教導：巴洛受的形體訓練其後讓他在劇壇大放光芒；馬塞·馬素（Marcel Marceau）則獻身於他稱為「風格默劇」的藝術當中。馬素創造了必必（Bip）這個角色，讓「他」化身各行各業的人物，經歷不同的冒險。馬素的天份和地位令他名震全球，以致世人把他本人與他的藝術混淆起來。人們常常聽到「默劇？不就是馬塞·馬素嗎！」馬素的天才令許多人以他為典範和參考對象。「不像馬素的東西根本不是默劇！」這種執著確實過火，就如有人只認同古典舞，而把所有現代舞的形式拒在舞蹈之外。

　　　事實上，現代默劇已經衝破古典主義那些僵化的局限，並正朝著數個新方向發展。舉例來說，在深化對形體動作技巧的追尋之時，默劇嘗試發掘移動中的基本、本能力量和張力，得出的結果就是心靈能量的外

在展現。此派別最佳代表之一伊夫·勒布勒東（Yves Lebreton）說：「演員已經不是在演釋受特定元素局限的角色。他是把從內裡迫進的思想以形體表現出來...」

每一下的肌肉收縮或放鬆都反映一種內在狀態。在那個行為與知性達致最深入關係的境地，身心全然合一，因此以這種方向為起點的默劇人會放棄說故事和論述，而只取純粹抽象化的表達。我們不應把這種方向與唯美主義混淆，它其實屬於另一類別。這種與陳述故事無關的境界其實是在嘗試呈現人性最大的真實性，毋須以敘述故事來表達，盡量減少動機和其外在表達之間的理性和文化中介體。

他們的技巧可能高超，但仍然是未經修飾的表達方式。「未經修飾」並不代表「本能的」、「情感澎湃的」或「動物般的」。這種境地的目標在於表達人類的全面：思想、感受和本能的整體，而非呈現特定的事件或感覺。

另一個現代默劇的派別力求除去傳統角色（例如白丑）的所有痕跡。傳統角色主要是以一連串的速寫故事，讓觀眾猜度劇情。這種派別的默劇人選擇棄掉化粧、面具和傳統的戲服，為的就是要找回自我。他們不再害怕運用真實的物件、音響、音樂，甚至偶然幾句說話。如果他們有使用面具的話，也是朝以上方向為目標。面具在他們手中成為了完全獨立的元素，可供玩味，可以轉化，變得擁有自己的意義。於是，一個新表演類別便誕生了：它是否默劇？是否戲劇？這個問題是沒有意義的，我們明確知道，它會繼續追尋一種特定的身體語言，當中的「物件」和「聲音」會與說臺詞的劇場的「物件」和「聲音」截然不同。在這裡，「身體」、「物件」和

「聲音」各自用自己的語言表達自己，同時互相強化，這三種元素的語言只有在尊重某種程度的「靜默」時，才會被觀眾察覺。

　　我在以上篇幅快速地描述了兩個現代默劇的主要方向。當然它們不是完全分隔，中間可以有許多組合。

　　以上的論點對我們力圖接近默劇的定義有幫助嗎？如果說默劇是選擇以身體作為表達內心的語言，雖然是對的，但未免太模糊和不完整！如果說默劇是邊緣劇場，用靜默呈現動作的特性，那是對的，但未免太簡單！大家對「默劇」的定義實在有太多見解了！

咪～、默劇和Pantomime

芭莉·羅夫 Bari Rolfe

　　默劇是一種奇怪的「東西」，人們一看就知道它是默劇——真的一看便知？每一個人都同意它的「歷史悠久」，但其實它是什麼呢？只要看看以下一大堆對它的稱呼就會明白，即使是默劇界也是混亂一片，沒有共識。亂上加亂的是有些語言（例如德語、捷克語）沒有「默劇」這個字，所有默劇類都被稱為「Pantomime」。這些詞彙說變就變，根本不用徵求最初定義者的同意。然而，人們為「默劇」尋找定義的渴求從沒有靜止。有「定義」自然就有「例外」，但這兩個詞語也在年月流逝間改變。嘗試拆解默劇一詞的含意確實引人入勝：這個流動的、充滿彈性的、敏感的藝術形式，以動態美學（Kinesthetic）來看世界的方法，由舞蹈或英式默劇（Panto）或體態律動（Eurhythmics）或敘事默劇（Mime Ballads）或⋯。或許「定義」的重點，就是不要讓定義的存在扼殺被定義物的創造力，定義應該追隨藝術能量的足跡，而並非藝術能量的前設或變成一條方程式或食譜般的框架。與其追求定義，我們應該少些問：「它是什麼？」，而多問：「它可以如何擴闊人類欣賞動作及其效果的能力？」

　　默劇，這只變化萬千又令人著迷的「鳥兒」已經跳跳碰碰了多個世紀，從未有人成功把「牠」困入定義的鳥籠中。許多人嘗試捕獲牠，連這只鳥兒自己也糊塗了。牠疑惑地問：「究竟我是一個名詞、一個動詞，還是僅僅一個潮流？」牠一邊問，一邊快活地在樹枝上跳躍，撒下歡樂的種子，從沒有思考過自己的過去與未來。

　　默劇人怎樣說？

巴黎大學藝術史教授伊夫‧諾尼（Yves Lorelle）：「大部分羅馬默劇都是短篇喜劇，放浪形骸，源自亞歷山大利亞城的自然派流派。這種『默劇』主要運用對白，不會使用面具。這種戲的演員叫Mimologues，他們與Panto-mime，即那些不作聲、用多至五個面具輔助、揹起整齣戲碼的動作大師，截然不同。」美國劇評家羅莎門‧姬達（Rosamond Gilder）形容古希臘的默劇人是市集上的娛人者，就像今天的歌舞廳表演者，主要是提供諷刺及奔放的噱頭。古羅馬的默劇人也類似，會有舞蹈、音樂、雜技和小丑演出。在相對上，古羅馬的默劇藝人集演員與舞者於一身，獨挑大樑，並用手勢、動作、態度加戲服演釋整個劇目，所有角色一手包辦。

　　研究古代默劇歷史的法國作家法蘭西莎‧魯那耶（Francois l' Aulnaye）：「當談及『舞蹈』，我並非指優雅地隨著固定節拍翩然舞動的藝術，而是指『動作的藝術』。」

　　《默劇人》（The Mime）作者珍‧鐸時（Jean Dorcy）：「上古時代，默劇是一種基本為模仿的戲劇。除了沉默的動作，還包含了描述事件的文字，以及音樂伴奏。」

　　「到了十八世紀中期，諾維（Noverre）創作了英雄式默劇（Heroic Pantomime），而在法國則見證芬南布力斯之友的默劇（Pantomime of the Funambules）誕生，即意大利即興喜劇的說話、跳舞演出。時至今日，默劇一詞已經變得貧乏，經常被用來標籤沒有關連、沒有文字、沒有舞蹈的戲劇。」

　　《默劇的藝術》（The Art of Pantomime）作者查理斯‧奧拔（Charles Aubert）：「Pantomime默劇是以動作為語言的戲劇，或是啞劇。」

法國默片演員佐治‧華格（Georges Wague）：「現代Pantomime是表達情感的藝術，而「古典」Pantomime就是把語言翻譯成動作的工具。」

　　著名白丑薩佛林：「默劇人（Mime）意指用動作表達自己的演員，Pantomime是用這種方式表演的劇目。人們應該叫不作聲的演員做Pantomime，但我卻自稱為默劇人Mime。」

　　《默劇藝術》（The Art of Mime）作者艾蓮‧摩亞（Irene Mawer）：「動作（Gesture）是指有特定文字描述或職業價值的動作（Movement）。」

　　導演T‧E‧柏度（T.E. Pardoe）：「默劇一般指不用語言來說故事或事件。它用身體動作呈現思想，是濃縮的戲劇動作。」

　　舞蹈家拉邦：「舞臺藝術源於默劇，默劇就是以外在、可見的動作呈現內心的牽動。默劇人很多時單憑自己的身體及姿態，連察覺得到的動作或聲音也不用，就可以向觀眾傳達角色內心的掙扎。」

　　對尚路易‧巴洛來說，默劇就是靜默的藝術。安東寧‧亞陶（Antonin Artaud）的直面默劇（Direct Pantomime）與巴洛之意念相當接近，便是有效地、具體地用動作呈現意念、思想立場和自然界的景物，而非用動作來替代語言或文字，賈克‧樂寇（Jacques Lecoq）定義默劇為以動作代替文字（「你」、「我」、「游泳」等），而默劇就是不需文字、沒有文字的溝通。對馬素來說，默劇就是用外在來體現我們身邊的種種元素，是動作和態度的藝術。有多位法國現代默劇人也是抱著近似的概念，即代替文字，「默劇」是靜默和不使用文字的。

美國舞者兼默劇人艾娜·安緹斯（Angna Enters）指出默劇是使用「動作符號」的溝通：手勢、微笑、眼波流轉、反思或外在動作。她再加上一個新詞語Mimesis，即用行動呈現現實，無論當中有沒有使用語言。

美國默劇劇場創辦人保羅·寇蒂斯（Paul Curtis）：「默劇是透過處理想像出來的物件或情況來創造現實的幻象，默劇是沉默地透過不同的劇場動作來演戲。」

三藩市默劇團創辦人R·G·戴維斯（R. G. Davis）：「默劇是內在泉源驅動外在的動作。」

曾赴印尼學習當地面具演出的美國默劇人及作家里安納·彼哲（Leonard Pitt）：「默劇是利用物件的幻象（來表達），而默劇是情感宣洩的外在語言。有人會憑物件是否真實存在（默劇）或想像出來（Pantomime）來區分兩者。」

著名默劇人及意大利即興喜劇演員卡盧·馬素尼—金文泰（Carlo Mazzone-Clementi）：「默劇是文字面世之前的狀態，毫無疑問，字母是由文盲或默劇人所發明的。」

以上這些粗略的參考資料，目的是讓讀者感受「默劇」的定義是多麼廣闊及存在不同的見解，唯一幾乎人人都會同意的，就是形式上一定有「動作」存在。不過，靜止不動也是動作形式之一！看來真的沒有共識。

二十世紀的默劇：直到1950年

靜默啊，這種世界性的優雅，我們多少人懂得享受它？

— 差利·卓別靈

詩人猶如雕塑家，着眼人類的說話和動作多於他們的行為。

— 詩人萊納·瑪利亞·里爾克 Rilke

我的理論就是從演員手中拿掉文本，好使他專注於行動。

— 史坦尼斯拉夫斯基 Stanislavski

所有偉大的戲劇在靜默中發生——

最激烈、最重要的事件在靜默中行進……

創造天地時，沒有多餘的話語，

話語連一隻螻蟻也造不出來。

整個大自然行動時，都是靜靜的，而說話實不能取代行動。

— 戈登·克雷 Gordon Craig

默劇是樹幹，分支為戲劇與舞蹈。

音樂和話語是由聽得見的動作形成的。

— 魯道夫·拉邦 Rudolf Laban

舞蹈是音樂的孩子。默劇是靜默的兒女。

雖然他們來自相反的方向，舞者和默劇人卻熱切地希望共融。

— 巴洛 Barraul

綜論二十世紀（直到1950年）的默劇發展[*]

芭莉·羅夫 Bari Rolfe

　　二十世紀的默劇其實始於1890年，在稱為「美好時代」（Bella Epoque）時期開始（那段時間紙醉金迷，通常說是十年，不過實則延續至1914年第一次世界大戰）。「美好時代」充滿絕妙和差勁的品味，在這段短短的時間，既有富麗堂皇的氣派及維多利亞時代主義（Victorianism），也有天馬行空般怒放的藝術，單是戲劇界便有莎拉·伯恩哈特（Sarah Bernhardt）、埃萊奧諾拉·杜斯（Eleanora Duse）、埃倫·特里（Ellen Terry）、戈登·克雷格（Gordon Craig）、大衛·貝拉斯科（David Belasco）、莫里斯·梅特林克（Maurice Maeterlinck）、王爾德（Oscar Wilde）、蕭伯納（George Bernard Shaw）、契訶夫（Anton Chekhov）、亞瑟·皮內羅（Arthur Pinero）、愛德蒙·羅斯丹（Edmond Rostand）、吉伯特與沙利文（Gilbert and Sullivan）等等，以及大量作家和作曲家。

　　「美好時代」特別崇尚美女：女演員、女舞者、女默劇人。在舞臺上出現過很多舞者和演員，她們大部份都演過默劇，不過是變種的默劇。當時德畢侯（Gaspard Deburau）的風格偶爾可見，但華格的現代默劇以較自然的形式展示臺上的女性，沒有白面，也不用穿傳統的白丑服飾，所以更廣受當時的觀眾歡迎。華格（1875–1965）起初演傳統默劇，並慢慢發展出一種被他稱為「現代默劇」的形式，奧蒂羅（Otero）[2]、科萊特（Colette）[3]和許多其他演員都以這風格演出。這些劇目在舞臺上，屬於簡短的戲碼，通常都偏向肥皂劇式，沒有傳統默劇的規範，運用大膽明快的動作演出。由於這種「默戲」比傳統默劇起用更多女角，令女演員日漸普遍。華格同時是導師和導演，他在路易·菲亞德（Louis Feuillade）執導的默片中以默劇人及演員的身份粉墨登場。

[*] 標題為譯者自定。

他亦現身於1906年首部在現場拍攝為電影的舞臺默劇《浪子回頭》(法語：L' Enfant Prodigue，英譯：The Prodigal Son)。華格也在演員訓練學院擔任默劇教授，以及在喜劇劇院和舞蹈學院執教鞭。他對默劇的一個重要貢獻，就是提出動作須與思想相連，從而把默劇編排帶到跟演技類同的層面。巴洛在《天堂的孩子們》(Les Enfants du Paradis) 飾演德畢侯這角色時亦有請教華格。

＊　＊　＊　＊　＊

早期的電影

作為二十世紀初的產物，電影的誕生對演員產生了巨大的需求。大部份電影演員來自舞臺，特別是慣演音樂劇的演員。不過他們很快便察覺到電影和舞臺的演出其實是不同的—動作要收細、發聲不用輸出太遠、風格自然一些才可以—由此而慢慢建立電影演技的理論原則。華格認為電影是默劇的延續，默劇演員也因為他們掌控身體能力而獲得電影導演的青睞。早期的電影，尤其是喜劇類，主要依賴動作多於語言去表達，而默劇人正正特別擅長靜默式的溝通。

與「美好時代」同樣創意勃發的及稀奇古怪的，就是無事不可試的「喜劇的黃金時期」，即由1900年代早期的默片開始，直至1928年電影配音的出現。麥克斯‧林代(Max Linder, 1883–1925)是美國早期一位少為人知卻十分多產的默片演員。他在法國波爾多出生，原名是基貝奧‧李維奧利(Gabriel Leuvielle)。直至1914年，他已經在差不多350部短喜劇電影中亮相，而差利‧卓別靈(Charlie Chaplin)第一部電影在1914年才上映。林代用心研究自己早期的作品以創造新的電影技巧。這位由綜藝

喜劇明星轉行成為電影笑匠翹楚的貢獻，惠及其後的喜劇大師：卓別靈、巴斯特‧基頓（Buster Keaton）、哈利‧蘭登（Harry Langdon），以及勞埃德（Harold Lloyd）等等，亦奠定了電影近鏡所需的簡單及簡化的演戲方式，並取代音樂廳那種大開大合的技巧。林代在1917年及1921年兩次前往美國，但未能在影壇上取得成功。即使如此，他已為早期的喜劇電影奠定楷模，卓別靈和其他演員也對他致敬。

＊　＊　＊　＊

劇場中的默劇

　　接著發生了一件對歐洲劇壇具有重大影響的事情，並直接或間接地催生了四位法國默劇泰斗：德庫、巴洛、馬素及樂寇。這就是賈克‧柯波（Jacques Copeau）受到前人克雷格在第一次世界大戰前在佛羅倫斯的戲劇學校所影響，而開始傳授印象派、非自然主義及著重身體表達的表演風格，以及俄國導演埃夫雷諾夫（Nicolai Evreinov）和瑞士的亞道夫‧艾匹亞（Adolph Appia）在類似影響下所成立的學校和劇團。柯波是一名法國導演。他在一次參觀克雷格的學校後留下深刻印象，並把這些影響帶到自己開設的老鴿舍劇院（Vieux Colombier）裡。柯波在執導和設計上都捨棄自然主義以追求印象主義。他的演員課程包含一系列的動作技巧、面具運用及其所需的身體配合（即默劇）。當時他認為默劇只是訓練一般演員（The Speaking Actor）的工具。老鴿舍劇院只運作了數年，但卻成為劇場訓練的一股巨大力量，這所學校曾經探索的意念及其影響，至今仍未被世人完全掌握，遑論充分理解。

德庫 (1898–1991) 在1923年入老鴿舍劇院受訓，並因此對運用身體的意義、美感，以及戲劇張力產生興趣。他希望把身體的表達從文字中獨立出來，於是便開始發展一套他稱為「體本默劇」(Mime Corporeal) 的技巧和哲學，是一種獨立存在和實質的藝術形式。他也創造了「塑像默劇」(Statuary Mime)，令人想起羅丹 (Rodin) 雕像的意象，並顯露出結構飽滿的美態。德庫所用的分拆個別身體的部位的動作 (Isolated, Segmented Movement) 亦帶有立體主義的一面及平面的意象。

巴洛 (1910–1994) 在1931年與德庫合作了兩年。他們一起為這種嶄新的藝術形式找出規律，探索身體的無限可能，確立有關的原則、規矩和規範，之後巴洛開拓自己的事業，成為演員、導演和作家。雖然他在演畢電影《天堂的孩子們》內的德畢侯角色後就沒有再演出默劇，但他在劇場表演總是著重身體語言，也盡可能在作品中加入默劇片段，例如在1970年電影《拉伯雷》(Rabelais) 中，演員就以默劇表達身在船上的情形。

✳　　✳　　✳　　✳

歐洲

小丑與默劇擁有共同的元素：靜默和喜劇，因而兩者常常結合，令人難以分辨。小丑會演默劇，默劇人也會玩小丑的把戲。歐洲最有名的小丑之一是確格 (Grock, 1880–1959)，他本名Adrien Wettach，出生於瑞士，自七歲那年看過小丑的演出後，他的未來就命定。他在開始時為學校的朋友及在父親的旅館裏獻藝。他既是音樂家，又擅長雜技、高空鞦韆、吊索表演、走鋼線及雜耍。二十世紀前半期的有名小丑還有英國的小

提奇 (Little Tich)、丹麥的卡爾·貝格臣 (Carl Bagessen)、法國的符菲和巧克力 (Foofit and Chocolat) 和來自意大利，地位崇高的弗拉泰利尼 (Fratellini) 家族。

拉邦 (1879–1958) 就動作分析、舞蹈、默劇和其他創新的動態形式作出探索及研究，對世人了解所有人類活動中的動作，包括工業上的職業性動作，以至舞蹈和演戲，都有莫大的影響。拉邦周遊中歐各個首都，並一邊創作舞蹈、盛典、建立學校和「動作詠隊」(Movement Choirs 為一種群體舞蹈)。他更發展出一套記錄形體動作的系統，名為Labanotation，沿用至今。後來為了逃避納粹德軍，他移居到巴黎再前赴英國，並對當地的舞蹈和形體訓練帶來極大影響。

＊　＊　＊　＊　＊

美國

喜劇的黃金時代當然包括美國的默片喜劇：此時期星光熠熠，有差利·卓別靈 (1889–1977)、巴斯特·基頓 (1895–1966)、哈羅德·勞埃德 (Harold Lloyd, 1893–1971)、斯坦·萊路 (Stan Laurel, 1892–1957)，以及奧利佛·哈地 (Oliver Hardy, 1893–1957)，都是當時的大明星，他們就是黃金時代的代表。其他喜劇演員包括「肥仔」阿巴寇 (Fatty Arbuckle)、切斯特·康克林 (Chester Conklin)、查利·蔡斯 (Charlie Chase)、賓尼·圖賓 (Ben Turpin)、哈利·蘭登·菲爾茲 (W. C. Fields)、拉里·塞蒙 (Larry Semon) 及阿爾·聖約翰 (Al St. John)。著名女演員就有梅布爾·諾曼德 (Mable Normand)、路意絲·法增達 (Louise Fazenda) 和瑪麗·德雷斯勒 (Marie Dressler)。

在大眾傳媒中最廣受歡迎的喜劇演員之一，就是卓有名聲的伯特·威廉姆 (Bert Williams, 1875–1922)。他在綜藝喜劇界、音樂廳、音樂劇和齊格非歌舞大匯演 (Ziegfield's Follies) 獻藝長達三十年，包括唱歌跳舞，演出喜劇片段和默劇。作為成功的黑人演員，他的名氣幫助了不少黑人演員在當時以白人為主的舞臺上立足。他最出名的其中一個默劇片段，是演一場牌局。他單人匹馬在臺上向虛擬的對手們發出虛擬的啤牌，與這些看不見的對手玩心理鬥牌，有贏有輸，精彩萬分。

安緹斯 (1907–1989) 在1920年代中期開始發明她不叫作默劇但卻得其精髓的演出形式。她本身是舞者，也是畫家，擁有強烈的衝動去把自己的畫作透過形體展現出來。她為這種創作成果取名「舞之印象」(Dance Images) 或「舞之形態」(Dance Forms)。在1926年至1955年間，她每年都會到美國各地上演這些創作，亦經常前往歐洲演出。安緹斯寫了數本書和文章闡述其創作理念，這些理念可謂歷久常新，形態和動作源於影像及其含意；心靈與肉體互為影響；展示生命的奧妙比驚嘆生命之奧妙更為重要；等等。這一系列的理念雖不是全部由她原創，但組合起來，卻成為了一套有效的現代性原則。

同一期間，「戲劇舞者」查理斯·魏德曼 (Charles Weidman, 1903–1975) 從現代舞界轉向探索默劇。他本是丹尼蕭恩舞團 (Denishawn) 的主要舞者，後來與多麗絲·韓福瑞 (Doris Humphrey) 合作，創立了韓福瑞魏德曼舞蹈劇場。他的動態默劇 (Kinetic Pantomime) 充分展現他的幽默感和天馬行空的能力；他更把瑟伯 (James Thurber)[4]的短篇故事搬上舞臺。另一方面，他因應社會議題創作激昂的舞蹈，也為默劇注入了新意。

著名電視演員雷德·斯克爾頓（Red Skelton, 1913–1997）是如此家傳戶曉，以至大家都忘記他其實自十歲起便在賣藥表演的流動帳幕、馬戲團、滑稽諷刺作品、綜藝喜劇界、電臺、夜總會和電影中當過很長時間的小丑及默劇人，他在1937年首次在百老匯登臺，次年登上大銀幕，1950年才進軍電視界。

＊　＊　＊　＊　＊

　　本章節輯錄的藝人在十九世紀前半期同時出現的時間：「美好時代」及第一次世界大戰之前的華格和科萊特，大約是和林代、一批早期美國喜劇電影演員、確格、拉邦和威廉姆同期。在1920年代，拉邦的歐洲學生瑪麗·魏格曼（Mary Wigman）及柯特·尤斯（Kurt Jooss），以及美國的安緹斯及魏德曼把默劇引進大舞臺，並間中以實驗性的藝術形式展現。安緹斯在1926年首次公演她的舞臺「默劇」，萊路和哈地（Laurel and Hardy）也在同年首度合作。德庫在1930年發展他獨特的默劇，而斯克爾頓和利法（Lifar）亦在同一時期開創他們的演藝事業。

　　電影《天堂的孩子們》在1944年上映，充滿著對重建德畢侯風格的認真嘗試，加上在1947年馬素推出他所演釋的現代版白丑，這兩件事催生當時大眾對默劇的興趣和投入浪潮。直至今日（1970年代末期），這個浪潮尚在向頂點邁進。白丑風格由此佔據默劇界多年。

　　其後個別藝術家開始脫離法式白面默劇，創作了各種默劇人物形態。首先在歐洲，然後美國，發展的步伐延續下去⋯

靜默的藝術乃是泉源

佐治·華格 Georges Wague

藉著強調「演技」在默劇中的重要性，華格 (1875–1965) 帶領傳統默劇邁進現代默劇之門。他是唯一一位表演者，可以跨越白丑風格的默劇、音樂廳、電影，教學及現代默劇多個領域。以下文章首刊於《巴黎怡東》(Paris Excelsior)。

　　我好像喋喋不休，但這是必需的：無論用何種形式、哪個時代、以哪時期的音樂伴奏，你一定先要清楚自己的演出意念是什麼。沒有意念，動作是無用的。動作只是意念的延續。

　　動作最少，表達最多。

　　我認為，所有要表達的東西都已存在。老師可以選擇用什麼動作才恰當，並且發展這些動作的應用方式。

　　默劇 Pantomime，一種以禁語來呈現的藝術，和其他藝術形式一樣在不斷演化，特別是過去五十年：戲劇藝術已經被安東尼 (Antoine)[5]、杜林 (Dullin)[6]、朱韋 (Jouvet)[7] 和白提 (Baty)[8] 轉化了。曲詞界的填詞家們，儘管努力邁著大步，卻苦於他們的藝術形式總是停滯不前。這個時期看似很長，實則在時間長河中只不過是一瞬，然而我卻目睹默劇藝術的四次進化。

首先是加斯柏‧德畢侯及其兩位繼承人：查爾斯‧德畢侯（Charles Deburau）[9]和保羅‧利更（Paul Legrand）[10]慣用的表演方程式沒落。然後，馬賽學派[11]，在經歷布南迪（Bernardi）、比吉時（Bighetti）、泰勒斯，以及根據詩人卡圖爾‧曼德斯（Mendes）和包佛（Bauval）作品而創作《舊衣店》（Chand d' Habits）的薩佛林這幾位名家後，最終亦步入黃昏。經過這兩次進化後，芬南布力斯之友（Cercle Funambulesque）[12]帶來另一次更完全的進化。芬南布力斯之友的主要代表人物是菲利雪亞‧馬勒（Felicia Mallet）[13]，她對我來說是一位無價的導師、值得珍重的始創者。

然後，默劇第三度風行。當時多個劇院同時上演不同劇目。《浪子回頭》（L' Enfant Prodigue）、《確迪的女舞者》（La Danseuse de Corde）、《膽怯者》（Scaramouche）[14]、《白丑的故事》（Histoire d' un Pierrot）都令它們的導演賺得盆滿缽滿。再來有更精彩的《波希米亞女郎》（Giska la Bohemienne）、《美麗的墨西哥女郎》（La Belle Mexicaine），以及由我和奧蒂羅（Otero）、卻弗（Kerf）及維珍納‧巴迪（Regina Badet）共同創作的《科莉亞之心》（Le Coeur de Floria）。最後，更有一種狂暴的戲劇，其動作爽快俐落，容易理解，人物不多，例如《椅子》（La Chair）、《聖誕夜》（Nuit de Noel）、《夜之鳥》（L' Oiseau de Nuit）、《手》（La Main）、《帶著玩偶的人》（ L' Homme aux Poupées）、《野獸》（La Bête）和《青檸》（La Lime）。這種風格在1906年至1914年風靡觀眾，除了奧蒂羅之外，亦令許多演員成名，包括夏洛特‧維希（Charlotte Wiehe, 1865-1947）、路斯安尼‧威利（Lucienne Willy）、姬絲蒂安‧曼德尼斯（Christiane Mendelys）[15]、保羅‧法蘭（Paul Franck）[16]、澤京尼（Jacquine）及我們最喜愛和偉大的科萊特。

新一次的進化很快又來臨。雖然有傳言說默劇開始沒落，但是它只是在轉變。它借用有力的道具：千變萬化的自然環境，它可以無限放大演員的面部表情，更把觀眾的注意力集中到單一事件、一個動作、或一種態度上。無聲電影，正是默劇。默片中的默劇表達（Mimetic）並非無關宏旨的動手動腳。

但無聲的演出開始說話。在有聲電影中，動詞取代默劇表達的地位。

最後，在默劇最終的一次演進，一個不同的概念產生了。看看狄亞格烈夫（Diaghilev）[17]演釋史卡拉弟（Scarlatti）的《風趣的女士們》（Les Dames de Bonne Humeur）；西班牙芭蕾舞團「阿根廷之女」[18]演釋曼努埃爾·法雅（Manuel de Falla）的《被咒之戀》（L' Amour Sorcier）和亞爾班尼士（Albeniz）的《翠雅娜》（Triana）；加入競爭的有德杭（Derain）[19]，以及尤斯芭蕾舞團所演出的《綠色桌子》（法語：La Table Verte，英譯：The Green Table）[20]，這些作品都藉著動作、形體及態度將表達情感的藝術成功重現。《綠色桌子》中的團體默劇（Choral Mime）在編排後產生出震撼的效果。雖然它以舞蹈的形式呈現，但當中所產生的深刻感覺卻是從默劇元素而來。默劇在這種嶄新的表演形式中廣被使用。不同形式的默劇隨著時代有所更迭，是當然的，是注定的，但是默劇表達卻會永存，因為它是人類用來表情達意的最原始動作。我在三十年前發表文章說默劇應該反映人類的真實狀態，而非一板一眼的功架，結果遭人唾棄。然而，我的概念透過實踐，終於見到成果。如果我今天再次鼓吹這「前衛」的概念，人們肯定會當我是老糊塗。

默劇正在衰落？你還是去其他地方尋開心吧！睜開眼睛四處看看。它在藝術長河中仍然穩佔一席位，只不過，像其他藝術形式一樣，默劇會吸收科學發展的成果，融入時代各種的新發現和新技術，不斷地改變自己的外觀，但其內在的精髓永恆如一。現在後繼的默劇和芭蕾默劇只不過是達到了毋庸置疑的藝術水平，或者說，是做到了反映人的真實狀態而已。

音樂廳

西多妮—加布裏埃爾·科萊特 Sidonie-Gabrielle Colette

> 科萊特(1873–1954)最為世人所知的,是一位名作家[21],但較少人知道她在努力成為作家的初期,也曾在音樂廳中演出默劇。她也曾當過數年劇評人。她本身獨特的魅力和演技,令她成為一個成功的默劇人。以下文章摘錄自《人間天堂》(Earthly Paradise)雜誌。

　　我當年是否太容易受音樂廳的工作倫理、璀璨裝潢、腦袋空洞無物、必須準時和沒有妥協餘地的誠實風氣所影響?音樂廳這地方是否激發我那充滿狂野卻膚淺的熱情,一而再、再而三地歌頌它?看起來很有可能。若不然,我在經歷了六年音樂廳的折磨和奇幻後,就不會仍可在當中找到輕鬆自在的時刻。

　　我在其他場合形容過音樂廳的一切,但它絕對不是我描寫得那麼開心和天真。今日我想分享我在那地方的第一次,那時候我對大型綜合表演這種形式完全陌生,更沒有絲毫成功的希望。綜合表演可真是一個出人意表的媒介!當時我所演出的劇目叫《咪嗚—嘩—嘩·短篇》(Miaou-Ouah-Ouah.Sketch)。根據我在敝作《動物對話》(Dialogues de Bêtes)的表現,編劇決定聘用我在臺上扮貓和狗,除此之外,就是穿上古銅色的緊身衣跳幾步舞。

　　我們穿上戲服在某劇場排練一齣聲稱會「動人心弦」的默劇。後臺充斥著石膏和亞摩尼亞的氣味,而觀眾席猶如一個巨大的深淵,工作人員像忙碌的小蟲在那黑暗中匆匆移動。樣樣都不妥:佈景未完成,顏色

太暗,燈光被吸收卻不會反射;射燈還未聚焦及打出重影;還有那扇配上深紅色葡萄葉冠裝飾的生鏽窗門,只能開不能關。

　　疲倦的默劇人華格在綵排《茶花女》(Dame-aux-Camelias)的演出。他緊縮胃部去壓制嚴重的咳嗽。他的咳嗽很嚇人,上下顎誇張地狂開狂合,旁邊飾演年輕戀人的演員不勝其擾,把紅色的化妝品塗在他的鼻上,但他的耳朵卻是蒼白的。華格氣得破口大罵他是傻瓜、笨蛋、瘋子,樣樣都不妥。沒有一件事妥當!

　　緊張的經理大喊:「洛棘女士去了哪裏?她發生了什麼事?」默劇人吸口氣悄悄回答:「她的戲服還未完成。」經理整個人跳起,對臺下狂吼:「什麼?什麼?她的戲服未完成?今晚就演出了,戲服懂變身的嗎?真是迫人發瘋啊!」他在樂隊的位置彈來彈去和咆哮。華格無奈地聳了聳肩膀,可能是他咳成這樣,大概是與生命永別的形體動作吧!突然,這位將死的人彈起來,喉裡發出久違的聲音:「天呀!不要碰!那是我的紅莓汁刀!」他的手仿如專業護士般奪回他的道具刀,那刀藏有特別機關,可以流出像血的紅色汁液。

　　「好了!洛棘女士終於來到!」

　　所有人都如釋重負,衝前向這位明星級演員歡呼。「看看這出名的戲服!」老闆說:「太樸素!」金主說:「有點寒酸!」作曲家離開排練中的曲目,移近來看,愚蠢地說:「好怪的衣服,我沒想過是這樣子。如果是我妝的話,便會以綠色襯金色,並且吊掛些裝飾,你知道我是說哪些飾物。」但是,默劇人華格卻為戲服著迷,連稱玫瑰紅色的戲服正好配合他的

灰啡色小偷裝！洛棘女士的眼神迷惘，心中只有一個願望，就是一份...兩份...三份...火腿三文治，加上芥辣醬...

又傳來令人不安的消息，郵政員工罷工了，可能鐵路工人也會跟隨？所有人都興奮地交換情報，而且愈來愈誇張。最樂觀的猜測是鐵路會全面停頓，導致正在巡迴演出的藝人被迫滯留...

我們制訂各種效果不彰的應變計劃：做一齣即興表演來賺錢支付旅店費用。我負責跳舞，俊男美女的主角表演拋刀絕技，首席喜劇演員去舉重，飾演無知少女的演員會獻唱惡搞的歌曲，她表示：「我在派對時最擅長唱這些歌。」曾在音樂學院獲獎的道具管理員會彈奏他的得獎蕭邦曲目；而我們年輕但嚴肅的舞臺監督曾經是騎兵團的中尉，他就決定在劇場附近的騎術學校找一匹最好的馬，示範何謂高級馬術。

我從來沒見過這群人如此有禮，如此團結，簡直是驚喜，甚至啟示。一向看不透的面孔充滿生氣，充滿服務大家的渴望，亟亟貢獻自己都會臉紅、已經生銹的專長。「我懂得算命！」「我可以倒立走路，也練習過吞火！」「我曾經在利摩日的阿卡薩酒吧做過推廣員！」

如果郵政員工在明天結束罷工，以上一切都會被忘掉。我們會談些別的，那位曾在阿卡薩酒吧工作的高傲女孩又會變回一個毫無藝術氣息的普通人，嚷著表演體操的人也會再穿上他的綠色大衣，回復他那侷促拘謹的英式態度。

林代眼中的電影

麥克斯·林代 Max Linder

> 林代（1883-1925）是首名國際級的喜劇電影明星。他的風格衝破傳統鬧劇，並揉合整潔優雅的形態。以下節錄來自他的訪問。

戲劇天生就在我的骨子裡。我認為學習戲劇，沒有哪位老師比自己在臺上學到的更好。無論是什麼角色或怎樣開始都好，我也要登上舞臺。在混沌劇場（Ambigu），我經歷了多次嘗試，才可以跟他們的舞臺監督見面。當時他們有一位超過六呎高，聲音低沉如洪鐘的演員被辭退，那名舞臺監督由於以前未能給予我機會，於是便即時將其角色給了我。我歡天喜地接受這工作，於當晚研讀六十行的對白，並在第二天參加排練。舞臺監督的指示含糊：「你站這裏，高臺上面，做些大動作，發出洪亮得足以淹蓋浪濤的聲音，因為你正在指揮船員搶救正在沉沒的船。」我高興得忘記吃飯。在排演結束後，我滿心歡喜的回到化粧間換上戲服粉墨登場。奧！我卻忘記事先試穿那位演員的戲服。我跳進他的褲子，穿上大衣，整個人消失了。衫袖和褲腳都長得看不見手腳，大衣長達我的膝蓋，褲腰可及腋窩。我穿著戲服找舞臺監督，他說：「不要煩我！你自己搞定，你還有十分鐘便出場。」十分鐘！服裝主任又不在場！一位服裝助理同情我的慘兄，匆忙地為我縫起褲腳。時間緊迫，在換完佈景的漆黑中，我被推上臺至吊橋的位置，有人給我戴上帽子，不過它大得蓋過我的耳朵。

燈光亮起，而我的造型就像個小丑！臺上的所有人都不能自制地暴笑，我急促地吐出臺詞。雖然我聽不到提詞員的聲音，但可以從觀眾席中清晰地聽到編劇基李斯亞（Grisier）的叫喊：「他毀了我的劇！」接著便落幕了。

這個天大的失敗沒有令我灰心。混沌劇場的舞臺監督自然不想再聽到我的名字，不過他還是聘用我演出一齣肥皂劇，但我不得不承認，為了不讓人認出我，我戴了個假鼻！我在排練期間同時練習舞蹈，並成功在舞臺表演一段搞笑舞蹈。

當時一位在美國擔任舞臺監督的年青人路易·加斯尼（Louis Gasnier）問我：「你有興趣拍電影嗎？」

「電影是什麼？」

「它就像舞臺，只不過你會在攝影機前演戲罷了。你來吧，講些笑話，就賺到二十法郎。穿得體面一點：高頂禮帽、手套、珍珠領帶夾，擦亮你的皮鞋。我不清楚你會是什麼角色，很可能是個來到鎮上追求女孩的年輕人吧。」

之後一晚的天氣冰寒得連石頭都好像會裂開。第二天早上，我們抵達維辛斯（Vincennes）的攝影棚，加斯尼跟我說：「我們有個絕妙的主意。維辛斯樹林的湖水結冰了，你就飾演一個溜冰者作為序幕。」

「但是，我不懂得溜冰！」

「那就更好笑。」他回答。他們替我穿上溜冰鞋，還來不及換衣服，我就已經被推到冰上。我不知道如何解釋我做了什麼。我嘗試站起來，但我的帽子掉下來，當我想拾起帽子，結果失去平衡，跌坐在帽子上

我手腳並用爬回陸地，向加斯尼說：「你要我做什麼都可以，就是不要溜冰！」他回答：「拍完了，我們拍了你跌倒的片段，一定會非常好笑！」

事實上，電影上映時笑聲不絕，我卻犧牲不少。我說「犧牲」，是因為我收了二十法郎片酬，但卻損失超過八十法郎：當時一頂高頂禮帽價值二十五法郎。我的外套被撕破，連袖口鈕都丟失。

柏蒂（Pathé）先生安排我替一些導演工作，拍了數部喜劇電影，這些導演都頗受觀眾歡迎，但我總是覺得不大對勁，甚至推辭他們的工作。柏蒂先生詢問原因，我便直言不諱。他說：「好吧，那就用你的方法去做吧。」我終於可以讓自己的想像力自由馳騁。我當年十九歲。電影時代當時只是剛起步，大家都知道兒童最懂得化繁為簡，會將三百頁的故事拍出十二呎長的菲林！想想看：我每天拍一部電影，每部大約一百呎長。我身兼劇作家、導演、演員及道具師。

每當我坐地鐵去攝影棚時，便會任由不同的構想在腦中釋放。我只需要抓住結尾，整部電影的情節就在我掌握之中。我經常到達了維辛斯終站也不察覺，要勞煩地鐵職員提醒我下車。到了攝影棚，我會向工作人員講解我心目中的情景，示範一下，再解釋是什麼回事。跟著我們綵排一次便開始拍攝，就是這樣簡單。由於觀眾的年紀跟我們差不多，這種電影獲得他們歡心。試試只用一天的時間拍一部電影！就算是火車站長的廣音器那麼簡單的道具，道具師也得花上一整天去找！

與此同時，我跟其他巴黎的藝術家一樣，也會在不同的音樂廳客串演出。我就是這樣開始在奧林匹克音樂廳工作，除了慣演的戲之外，

我還有一個邊踩雪屐邊拳擊的表演，其危險性實在難以形容。有一晚，我滑倒了。結果：兩年的病痛，兩年的孤獨，深信自己的事業已經完蛋。然而，我甫復原便去找柏蒂先生兩兄弟，準備答應任何條件，我不好意思地問：「您們需要我的服務嗎？」不過，我很快便簽訂了夢寐以求的合約：三年，五十部電影，一百萬法郎的片酬。

每一種藝術都有其領域

艾蒂安·德庫 Etienne Decroux

> 德庫 (1898–1991) 最有名的弟子馬素稱他為「默劇的文法家」。以下
> 是艾力·賓尼 (Eric Bentley) 的著作《The Pretensions of Panto-
> mime》中摘錄的一段評語。

　　一般來說，「純粹主義」是藝術的正確概念。在外面的世界及宇宙中，事物並非涇渭分明，它們是糾纏在一起的並存著。不過，人類不願意接受這種狀況，他們喜歡有所分別。身為科學家的人類會承認世事是「融合」的，但去到實驗室便會把它們分開；身為藝術家的人類則拒絕世事的「融合」。他是抗拒事物本質的普羅米修斯 (Prometheus)。他假裝世事是分開般的生活，他以「分開」延續他的生活。藝術的法則不是加數，而是減數。加上去就是製造混亂，以回復世界原有的「融合」(或是混亂) 狀態。什麼事物富有藝術性？答案並非融合的物質，而是純粹的東西，一件可以深入核心、將所有事物連繫的單一事物。

　　「有分別的」法則就是簡約的法則。生命原是簡約到不會重複自己的狀態。即便是一部機器也不會重覆自己，它的任何部件也不會重覆其他部件的功能。

　　每種藝術都有其領域。默劇和舞蹈是相反的。舞蹈是抽象的，建基於音樂之上；默劇是實在的，建基於生活之上。舞蹈如小溪般流淌；默劇則隨著肌肉天然的跳動和收縮移動。舞蹈是歡快和上下移動的跳躍；默劇是踏實和平行移動的行進。舞者使用對稱的範式、準確的重覆動作，

以及固定的節奏，讓音樂規範他們。默劇人用的卻是不對稱、多變性，切分節奏、語言的節奏和天然的身體動作。舞蹈源於能量過剩。當一頭熊被困籠內，牠會來回走動，猶如對稱的舞蹈。舞者就像一個人外出散步——因為他還有未用完的精力——而默劇人卻是一個朝著目標走的人。因此，默劇代表轉動水車的能量，而舞蹈就是從水車飛濺出來的水花，是水車不需要的水。

看看舞者在臺上假裝搬動一座大鋼琴。他們的手中空無一物，但卻搬得興高采烈。他們「跌跌碰碰」的前進，但鋼琴是沒有重量的。現在看看默劇人演繹同一幕，他們會展示出鋼琴重量帶來的吃力感。

舞者好像上流人士，別人總是為他做事，因此，他們不是自己步行，而是「被步行」。所有步行產生的正常表徵都被清除，我們看到的是一種規範化的程式。默劇人是運動員，當運動員步行時，你可以看到步行是什麼，只需要觀察他的腿部，以及他的手臂如何配合腿部移動！如培養上流人士那樣，芭蕾舞者所接受的訓練是摒除這些日常動作。默劇人的訓練卻是展示、利用和強調它們，並且給予這些動作風格。

反映現實？不。藝術不應過於真實。詩歌是虛無縹緲的，因此回憶是個優秀的詩人。回憶是有距離的，當中包含刪減、添加、組合。藝術猶如夢境。

默劇要用身體作工具去傳達心靈的實象，沒有因果關係的世界是我們最理想的幻想，例如反地心吸力。生命的法則充滿震撼和衝擊，因此，行雲流水般的動作象徵不真實的、心靈上的……

語言包含隨意的聲音和符號，需要學習才能理解。我們默劇人可以在臺上使用的是「發聲的默劇」，即是叫喊或嘆息等聲音，不過會經過精心雕琢，這些聲音本身已經具有表達力。

戲劇藝術與默劇

尚路易·巴洛 Jean-Louis Barrault

> 巴洛 (1910–1994) 是默劇人、演員、導演和作家，他最為美國觀眾熟悉的角色或許是電影《天堂的孩子們》中的德畢候。以下文章首載於《歌劇、芭蕾、音樂廳》(Opera, Ballet, Music Hall) 雜誌。

戲劇藝術的極左派主張「純粹的動作技巧」，亦稱「默劇藝術」，而極右派則強調說話的藝術——「純粹的演說」。

默劇藝術正正是靜默的藝術。

默劇藝術需要兩個元素便能夠創造可塑的價值：一方面是「動作」，是「行為」不可分割的一部份；另一方面，是自我完足的形態，它猶如悲劇中的合唱曲，像詩歌般存在，甚至可以轉化成詩歌。上述兩者有天淵之別，就如散文與韻文的分別。

《我在垂死時》(As I Lay Dying) 的戲劇版在1953年首次上演，它被視為重振默劇藝術的宣言。

我希望以研究身體為切入點去討論演技的問題。杜林[6]的教導引起我們對身體表達的關注。事實上，一名演員必須經歷一段時間的訓練，從而加深對動作藝術的認識，令身段更柔軟，更懂得選取、營造和設定與臺詞相配合的節奏，並應用於規範的動作中。

動作與說話完全一樣，具有本身的文法和規則。動作不會重複，但是會令說話的表達完整。在排練時，必須要仔細擬定一套動作的規範。這套規範可說是等於真實行為下那神秘的、潛意識的地下相反面。因此，有一種可塑的表達方法與口語並存。一方可以令另一方變得完整，可以抗拒對方，也可以融入對方之中。

默劇，自古以來被理解為又聾又啞的藝術，而現代默劇卻是靜默的藝術。

在老派的默劇中，動作會加在行為之上，猶如失聰失語人士的溝通方法。現代默劇渴求純粹，因此拒絕使用無聲語言，只希望體現行為的本身。如果在此之上加入任何元素，演出就會像一首情感澎湃的抒情歌曲。

現代默劇的新穎之處在於它可以達至悲劇的水平。它是高雅的藝術，以至可與東方默劇並駕齊驅。默劇藝術已經達到一個高尚的層面，令它值得與東方相比較。當默劇達到巔峰，它純粹的美可以與詩、最高雅的音樂、最令人著迷的畫作、最完美的雕像相提並論。它是至純的一種藝術。

很有可能，在卓別靈的影響下，另一類的默劇會在舞臺上重現光彩——但現代默劇面對的真正問題仍然是如何提升動作藝術至悲劇的層次。

動作的藝術——是戲劇藝術中一株純粹而真實的樹苗。

默劇人與舞者

塞格·利法 Serge Lifar

利法（1905-1986）是達基列夫俄派芭蕾舞團（Diaghilev's Ballets Russes）的舞者，也是巴黎歌劇院的首席芭蕾舞者、明星和編舞者。他亦撰寫了多本關於舞蹈的書籍。取自《歌劇、芭蕾、音樂廳》雜誌，此文描述舞蹈與默劇之間的關係。

眼神可以最真實和全面地反映靈魂的深處。然而，它並非靈魂之窗——反而是向外界投射行動前的情感。藝術家在使用動作去表達或傳譯自己或角色的情感之前，其眼神已經會透露內裡的態度。那是下意識的反應，是尚未被任何刻意猜度污染的反應。

在戲劇中，一個錯誤的眼神已經可以扭曲一齣戲的意義。相反地，從藝術角度來看，精準地運用眼神來表情達意，是演員能否稱職的關鍵。

當演員的其他本錢包括其長相、身型和默劇藝術技巧。這三項元素會影響身體的表達能力，成為令人歡笑或落淚、創造快樂與憂傷的武器。一位演員的真正天賦在於他當默劇人的本事，默劇修為會影響他的面孔和身體，可以把喜劇演員與悲劇演員合為一體，甚至模糊喜劇與悲劇的界線。

默劇藝術雖然只是精神與靈魂的技術反映，但同時兼具兩者的自我表達，以及營造氛圍的功能。因此，只是走一步的話，這動作是沒有

意思的，唯獨這一步有剎那表情或肌肉收縮的伴隨，它才會達到一個有重要性的戲劇行為本質——也即是在行動前設立的行動氛圍。循此來看，夏里亞賓 (Feodor Chaliapine)、蕭邦 (Chopin)、巴甫洛娃 (Anna Pavlova)、尼金斯基 (Vaslav Nijnski)、黑繆 (Raimu)、嘉寶 (Greta Garbo) 都在自己的藝術修為中展現默劇藝人般的生活。

默劇藝術在芭蕾舞中擔當十分重要的角色。這不就是諾維所鼓吹的「芭蕾如行動」的真正基礎嗎？舊式劇場中那些滿是規範的默劇令我們覺得低俗，舞者會笨拙地做出猶如聾啞人士的各種動作，嘗試以此串連並不存在的中心主題，實在過於暴露自然主義的啓發。幸好還有默劇藝術的存在——真正的默劇人不會被真實主義騎劫——因為他依賴的是情感。他不會受到形式的牽絆，只因技巧自最深處而來。

在指揮貝多芬第九交響樂時，托斯卡尼 (Arturo Toscanini) 採用帶有個人風格的「默劇」去演譯，那種默劇反映的是靈魂的抽象情緒，故意與現實分離，甚至說是擺脫現實的…同樣地，霍洛維茨 (Vladimir Horowitz) 的「默劇」直達他的手指，似要把音樂迫進樂器，再從樂器中找出音符一樣。這就是「藝術家的留痕」。世上並沒有默劇學校。默劇是一種天賦，是藝術家將其專業技巧穩固地連繫在一起的基本力量。

生命猶如雲雀

確格 Grock

> 來自瑞士的確格（1880–1959）是歷來在馬戲團、舞臺和音樂廳演出中最有名的小丑之一。下文節錄自他的著作《生命猶如雲雀》(Life's a Lark)。

「你為何當上小丑？」

「因為我想。」

「你不是覺得憑走鋼線和扮鬼臉就可以過上體面的生活吧？」

「是啊，我有一天會發達的。」

我一開始便擁抱自己的目標。我自小便簡單地把這個世界當成練習翻騰和走鋼線的地方。有次在中午交通最繁忙的時候，我在比恩中央廣場的橋纜練習平衡，雙腳在半空中。下面的河流因為過去幾日下雨而變得奔騰洶湧，無數路過的行人嚇個半死，以為必定會發生意外，幸好我這個未來的雜技專家的技術還可以，成功逃過那二百雙希望拯救我的手臂。

另一次，我用了最「自然」的路徑上學——一列河岸小屋花園前的鐵線圍欄。走在約一碼高的欄頂上，我一直從湖邊走了四份三里進入鎮內。一群佩服我的同學追隨著我，最終我們全體遲到。

之後的那個星期天，我的技術已經突飛猛進，於是便邀請同學來到我家開的小旅館裏的酒廊廳房看我演出。我以彩虹般的裝束出現。演

出以「音樂旋轉瓶」開始，就是在多個瓶子中注入不同份量的水，然後用木匙敲打，而每個瓶子會因應不同的水量發出不同的聲音。我首先演奏一首波恩進行曲，跟著就是馬賽曲。然後，我引領觀眾進入門雜技軟功專家的世界。首先是不同形式的一字馬，最後是小提琴式的體操旋轉 (A Violin Turn)，並由我的妹妹以大師級的鋼琴音樂作伴奏，整個演出在全場鼓掌的情況下完結。那是我首個的公開表演。

來自意大利小丑世家的阿伯圖‧古林 (Umberto Guilleaume)，藝名安東叻 (Antonet)，是巴黎馬戲團的首席小丑，也是我的老師。我猶如一朵花苞，在安東叻的陽光下綻放。我覺得安東叻和我應該為小丑在專業及尊重上的提升而感到自豪。我們另闢蹊徑，証明小丑可以比「蠢蛋漢斯」更有深度，「漢斯」就是那種在馬戲團中場休息時跟著馬戲班主屁股後跑，一鼻子碰在大光燈上的傢伙。現在，一個好的小丑，可以媲美一個好演員，因為他正在實踐一種藝術。

如果我可以活一百次，我只想當一個音樂廳的表演藝人。我的專業中有著一些不可抗拒的東西，我猜想是——這種以意志統禦一切，令我不被日常小煩惱打倒，還將它們轉化成奇妙事物的力量。

你所見到的小丑，猶如其他範疇的藝術家一樣，是傳統的產物。正如畫家懂得如何活用無數前人的經驗，正如真正的作家會感謝前人的創新作品及它們對自己的影響，每位資深小丑也是在延續偉大的前人或同儕的精髓。畫家會崇敬拉斐爾、卡拉姆或史杜克；作家會崇尚德科克 (Paul de Kock)、歌德或華萊士 (Edgar Wallace)，而你的小丑就會感銘比比與塞利奧 (Bebe and Serillo)、皮普與東尼諾夫 (Pippo and Toniloff)、托托 (Toto)、威利與亞道夫‧奧松斯基 (Willi and Adolf

Olschonski)、勒維特·李(La Water Lee)、高拔·拜寧(Gobert Belling)、利斯·比亞特斯(Les Briators)、力高與亞力(Rico and Alex、賽爾法(Seiffer)、或卡羅與馬利安奴(Carlo and Mariano)、小華特(Little Walter)、阿非連奴·安東尼奧(Averino Antonio)、弗拉泰利尼(Fratellini)家族，或安東叻的豐富傳承。

對動作的掌握

魯道夫·拉邦 Rudolf Laban

> 拉邦(1879–1958)是默劇及形體導師和理論家,亦發明了記錄動作的「拉邦紀錄法」(Labanotation),而這舞蹈動作的分類方法至今仍被採用。下文是他的著作《對動作的掌握》(The Mastery of Movement)的節錄。

舞臺藝術源於默劇,即是用外在的動作代表內裡的悸動。默劇猶如樹幹,分支出舞蹈與戲劇。舞蹈有音樂作伴,戲劇有語言為輔。音樂與語言兩者分別以彈奏和聲帶振動來讓人聽到。

默劇是「身體動作就是一切」的舞臺藝術,但是我們這一代對此藝術形式的認識不多。最接近默劇的就是有聲電影之前的默片。默劇所運用的獨特動作語言,並不難譯成文字。默劇中的「交談」或「獨白」不難理解,也能夠用語言去描述,至少是其要點。

作為表達情感的一股力量,同時也是人類最基本的創作活動,我們預料默劇經過長久忽視後可以重拾真正的感覺和意義,再一次成為人類文明的重要因素。以舞蹈化的默劇動作來創作角色,價值在於避免直接模仿外在動作的奇特部份。如此直接的模仿不能觸動人類埋藏在深處的內在力量。

默劇人往往只需用他的身體、姿態或姿勢便可以傳達角色的內在掙扎,毋須運用看得見的動作或聲音。即使在日常生活中,只要看看一

個人的姿態和動作，也可猜到他的所想所感。默劇人就是要用他的肢體表達和動作，引領觀眾進入他的戲劇世界，與角色產生共鳴，和受苦者共苦，對角色被輕蔑而感到憤怒，又或是仿如看見自己的笨拙而發笑。如果能做到這種境界，我們就已經超越自己，脫離那出自私心而助人的心態。雖然默劇藝術家會從現實生活、感受及行為中取材，但這些事物都不會直接反映在他的默劇裡，而是透過他的想像力和遠見給予更具意義的形態。因此，演員也可以為自己作出貢獻，並成為觀眾自身與眾多價值觀的調解人。

演員的調解行為要求極高的真實性。稱職的演員、默劇人或舞者會出色地顯露行為的可能性。千萬不要誤會劇場和演戲只是假裝，或虛假的行為和理想。默劇和劇場可以引領觀眾去探討內在生命的真實面和看不見的價值觀。嘗試以自然主義和物質真實主義來了解世界是注定失敗。內在生命的真實面只能用藝術來描繪，讓理性及情感互為推動，而並非單憑思考或感覺。演員要正確回應觀眾內心最深處的期望，他必須完全掌握人類努力的奧妙之處，亦要明白它與人生中為價值觀而掙扎的密切關係。儘管觀眾的目的可能只是娛樂，但如果他不能在演出中瞥見價值觀世界的真實面，他還是會感到失望；而那個世界只能透過外在和內在的動態才能有效地表達出來。

我對戲劇的直覺

差利·卓別靈 Charlie Chaplin

> 被視為至今最著名的喜劇演員和默劇人，卓別靈 (1889-1977) 也是一名作家、導演和作曲家。下文節錄自他為《生活》雜誌做的專訪。

我對戲劇的直覺不在於言語表達，而是隱藏在平凡及傳統的言語和行為。

如果默劇演得好的話，你可以完全以假亂真，令觀眾信服。形體本質接近自然——如飛翔中的小鳥——語言反而是尷尬的存在。由於語音過份直白而變得人工化，令所有人都退化至只懂喋喋不休的非真實狀態。對我來說，默劇是具有喜劇感的詩歌。

喜劇發自你的內心。當這種情態發生時，我會告訴自己要真誠地面對。我記得多年前演過的一幕。兩個留鬍子的男人並肩坐在午餐櫃檯的位置，我很明顯是戴上假鬚。我用另一角色的洗手碗洗手，然後再用他的鬍子把手抹乾。我沒有將這一幕當成喜劇來演。觀眾都認為這是瘋狂，但我卻當成正常事。觀眾覺得這是獨特的表演，是銀幕演員所缺乏的元素。這就是「喜劇」的基本元素。看似合乎情理的事情其實是癲癲的。如果你能夠將場面變得刺激，觀眾必定會享受表演。

我從來沒有考慮過扮演流浪漢的吸引力。他就是我，一個充滿喜劇精神的靈魂，它告訴我要將情感表達出來。我感到自由、刺激、瘋狂。我

可以肆無忌憚地呈現任何瘋狂、傻氣的想法。跟著呢？這個瘋狂的構思成功了嗎？這就是刺激之處。

我享受事無大小都細緻處理及挑剔，令我感覺有趣。在窮兮兮、靜悄悄的窮困中，那些勞動階層都企圖模仿有錢人家，每一個賣布的、賣汽水的小人物在自我膨漲時都會裝。因此，當我被狗帶絆倒時，手意外塞進痰罐又拔不出來時，我本能地知道應該怎做，我會努力不讓人見到。觀眾會大叫——因為我不想被任何人看見。

我想扮演流浪漢的秘訣在於人們看到他的人性。人本身就是十分可笑，尤其是處身尷尬情況的時候。

人性這條方程式輸不了——就是那些展露人性本來面目的東西。我的流浪漢所表現的謙卑令人覺得親切，是一種所有阮囊羞澀的人都有的謙卑。

可能是受到成長環境的影響，苦中作樂是我的天性，例如殘暴是構成喜劇的元素一樣，我們會取笑殘暴來阻止自己落淚。

但我不太在意人們為何會笑——只要他們笑就行了。

我的喜劇大多都是即興的，如果有靈感的話，我會充滿構思，甚至可以說意念四射。我認為創作起初是源自心情——音樂、寧靜的海洋翻騰的海洋、美麗的天氣——你會說，天啊，我想做些事。富創作力的人不是經常在創意靈感滿溢的狂喜中掙扎，你不會一早起來就創作，因為靈感女神不是這樣運作。你要用心情去為她們開啟門戶。

然後你可能會想到一個橋段、一個基本架構，跟著在每天早上努力增添內容。這時候你需要大量熱情，一種自我發現的直覺——所有創作藝術家心中的童真——會忽然跳出來表達生命、發現生命。

　　不過，我認為過分考究角色的心理會毀滅創作的熱情。我不想了解什麼「深度」，因為它並不有趣。「動機」又常常被人輕率地定義在兩性之間的關係，毫無新意。管它呢！

　　最重要是當有人微笑，或看著另一人時，其感情真摯，並於正值世界末日和一切的初始的一刻，讓攝影機來個大特寫。

　　事實上，我不怎喜歡大特寫，除非是需要強調或親密的重要時刻。我想，這可能源於我的早期舞臺經驗，令我覺得攝影機的鏡頭猶如幕前的一小片空臺。我喜歡舞臺上的動作編排——當中的距離感，以及準確的上臺及離臺時間。如果有什麼規矩的話，就是我喜歡先定位——攝影機先退得後後——知道自己身在何處。這樣可以增加空間感，不會令人感到窒息。

　　你還要給予足夠時間，讓你的創作景象成長，否則它就會失去真實感。這樣做需要時間——你埋下種子，讓它生長，並再令它豐富。你不會一開始便把它豐富。

　　有時它會如獲神助般成長。我在《城市之光》(City Lights)的最後一幕有一個大特寫。片中的盲女終於重見光明，她一直以為恩人是一位年輕英俊的富家公子。當她再次觸碰小流浪漢的手時，她憑指尖的觸感而得悉：「天啊，這就是那位先生。」這段重拍了好幾次，但我全都演得

太誇張、太做作、太多愁善感。這次我看著她，慶幸見到她沒有出錯。那是一種沒有刻意演戲的美好感覺，只是以旁觀者的身份看著。那氣氛剛剛好——少許尷尬，又高興再見她——有些不好意思但又不感性。這次是我演戲生涯中最真誠的大特寫。

我在1914年去到荷里活和基石電影公司。我當時24歲，但看起來像18歲，是個青澀又異常緊張的小夥子。我第一次穿起流浪漢的戲服，是在一齣名為《美寶的怪脾氣》(Mabel's Strange Predicament)的電影。場景是酒店大堂，一所頗為舒服的酒店。一名髒髒的流浪漢，自信地進入酒店，看看登記名單：「有我認識的人嗎？」，又向女士們舉帽致意。這背後無非都是因為腳痛等等，希望找一張軟綿綿的椅子坐下休息一會而已。他拿出一個煙頭，點著它，看著外面的巡遊經過。漂亮的女士被他的腳絆倒，他舉帽致歉：「十分抱歉。」我的角色變得有血有肉，並身處一個合乎邏輯的情況。我的感覺良好，演出到位。我拿捏到角色的精髓。

我在加州的工作室度過了一些最快樂的時光，並在裡面創作我的世界，一個喜劇世界。

很多時候，我需要歷盡苦頭才有一丁點創作。實在是艱難的日子，什麼都不順利，什麼都行不通，試完這又試那，如此類推，一天比一天消沉。所有人都望著你說，想些引人發笑的橋段啊。我會感到恐懼——我的靈感可以持續嗎？當想到一個笑料的時候，我會自問，跟著還會想到另一個嗎？

我把自己放進迷宮中，並嘗試尋找出路。

我的思維不像一個老人——我享受年輕所帶來的衝擊,因為上了年紀會放棄很多,並有很多恐懼。

一直令我堅持的——讓我真正存在的地方——是我的工作。有人用了一句十分精簡的話來描述我,他說:「他在意。」

我覺得這是非常棒的總結:我在意我的工作。它是我做得最好的事情。如果我可以做好其他事情,我就會去做。但我沒有這個能力,所以我對現時擁有的,無論它是創意或是什麼,我都在意,我真的很在意。

我的鬧劇奇妙世界

巴斯特·基頓 Buster Keaton

> 基頓（1895–1966）於三歲投身綜藝表演，並在1917夥拍「肥仔」阿巴寇首次亮相電影。下文節錄自《我的鬧劇奇妙世界》（My Wonderful World of Slapstick）。

　　當我還是嬰孩的時侯，已經在家族節目「基頓三人組」中亮相，扮演人肉掃把。我最早注意到的是，每當我微笑，或觀眾感覺到我在自得其樂時，他們不會像平時笑得那麼厲害。我猜想沒有人會覺得人肉拖把、碗布、豆袋或足球會對自己的待遇感到開心吧。我開始故意把自己弄得愁眉苦臉、受人欺侮、被人追打、鬼上身、嚇傻，以及無計可施的樣子。有些喜劇演員會首先發笑來蒙混過關，我可不行，觀眾是會不接受的。這對我來說也不是大問題，因為我最開心的時候，就是當觀眾邊看著我邊向身旁的人說：「看看這可憐的笨蛋！」

　　我曾看過阿巴寇在麥克·森尼特（Mack Sennett）喜劇系列中的演出，十分崇拜他。阿巴寇說他也多次看過我們的演出，並且很喜歡。

　　他問我：「巴斯特，你拍過電影嗎？」

　　我說沒有，阿巴寇說：「你不如明天早上過來殖民地片場？我正要開拍新戲，你可以在當中飾演一個小角色。你或者會喜歡電影呢。」我告訴他：「我想試試。」

我覺得這新玩意又刺激又有趣。後來有人告訴我，我在電影《當屠夫的男孩》(The Butcher Boy) 中的第一幕，直至現在仍然是有史之來唯一以一鏡完成的新人演出。對我來說，電影最美妙的就是它可以消除舞臺在空間上的局限。攝影機的擺位沒有限制，整個世界都是它的舞臺。如果你想以城市、沙漠、大西洋、波斯或洛磯山脈作為背景，你只需帶著攝影機到那裏便可。從第一天接觸電影，我從不懷疑自己會否愛上電影工作。

我永遠都不會找到比阿巴寇更好脾氣、更見識廣博的人來教我電影。我們從不吵架，我只有一次不同意他所說的話：「你不可以忘記觀眾的心智只有12歲。」我想了很久，整整三個月，跟著我對他說：「我認為你最好忘掉觀眾心智只有12歲的概念，任何抱持這種想法的人，難以在電影行業生存很久。」我指出，電影在技術上已經不斷進步，電影公司的劇本亦愈見出色，使用的器材也更高質，聘請的導演也更聰明。「每次有好電影上演時，思想成熟的人都會來看。」阿巴寇再三細想，回答說我是對的，但是荷里活直至今天仍然繼續低估觀眾的心智。如果電影公司的老闆拒絕相信這謬誤，我估計電視也不會那麼快就超越電影工業。

大家都說卓別靈和我在電影飾演的角色很相似，我常常都因此而感到迷惘。對我來說，我倆於一開始便有一個基本分別：卓別靈的流浪漢會依賴流浪漢哲學生存，即使他多麼可愛，一有機會他便會順手牽羊。我所演的小人物是個工人，生性誠實。舉個例子，我們的角色都想要櫥窗裡的一套西裝。卓別靈的流浪漢會先欣賞它，摸遍自己的口袋，找到一個硬幣，聳聳肩膀，跟著便如常過活，希望自己明天走運時能有錢買下它。如果他沒有其他辦法的話，他便會偷人家的錢，如果他不想偷，他就會索

性忘掉那套西裝。雖然我的小角色也會停下來欣賞這西裝,但就算沒錢買也永不會用偷錢的方法來得到它,而是會開始思考如何多賺些錢。

勞埃德的螢幕角色與卓別靈和我的角色不同。他飾演的「裙腳仔」不時會表現出勇猛如獅子般的潛質,克服一個又一個不可能的情況,令周圍的人,甚至他自己,都驚異不已。他看起來像雜技演員多於喜劇演員,然而不管他在螢幕上做什麼,他總是十分出色。

我們唯一需要的文字只有電影名字和字幕。愈少字幕對電影愈好,我們的無聲喜劇能讓觀眾發笑的就是他們在螢幕看到的情景。這些視覺式的笑料展示事情的荒謬度、人性的反應,以及角色遇上的荒誕情景及他們的應對方式。

在最近我拍攝的短片中,我嘗試加入故事情節,但不是經常成功。在大部份簡短的喜劇中,笑料來得愈快愈好。我很快便發現故事必須呈現觀眾會接受的可信角色和情景。我發現最好的形式是由一個正常的情況開始劇情,可能加上小小的麻煩事,但不會阻礙我們逗觀眾發笑,如此便可以容易引入各種穿梭的角色。到了電影最後的三份一,角色才會碰上大麻煩,令觀眾笑得更厲害,最惹笑的一幕會留在大災難即將降臨之前。我永遠不會重覆任何笑料或橋段,除非我可以將它完全改頭換面。

另一件我後來學到的有趣事情是,一旦觀眾對主角所做的事情產生興趣,他們就會深深敵視任何妨礙主角的事物,無視你加入什麼絕世笑料。看到電影全貌的觀眾會接受其他的笑料,是因為它們不會妨礙我拯救女主角。不過,當我在行動中跑去指揮潛艇交通時,在觀眾眼中我是在妨礙拯救大業,又沒有解決困著我們的堵塞。由那天開始,我明白到

最成功的喜劇，就是要觀眾對劇情認真到一個地步，他們會在我大無畏地逃出生天時支持我和為我打氣。

掌握時機也是要點，像綜藝表演一樣，你過早發放笑料，觀眾不會笑，太遲也是一樣。分別在於在舞臺上，你可以在不同的現場觀眾前重複試驗，但是電影觀眾只能在影片拍畢，經過剪接後才可以欣賞。要重拍一幕，並加入新笑料是非常昂貴的，因此才會有「代替笑料」的出現。

在我所有的電影製作中，我會規定自己到了第四卷菲林（即電影後半部）左右便會變得非常嚴肅，好讓觀眾真心關注我在電影下半部的遭遇。

鬧劇有個模式，除非你有份參與創造，否則你在開始時會難以察覺到它的模式。我們追求的基本結果是「出其不意」，目的是「非比尋常」，而「獨一無二」就是我們一直希望達到的理想。

我的喜劇世界

哈羅德·勞埃德 Harold Lloyd

> 勞埃德（1893–1971）為舞臺學徒和電影臨時演員出身，憑電影《最後安全》（Safety Last）成名。下文出自勞埃德所著的《喜劇世界》（World of Comedy）。

自知道何謂演員時，我便夢想成為演員，從沒有別的想法。起初我在業餘劇團演戲，並會花上數小時在鏡前用煤炭或其他材料在自己的小臉上畫上鬍子和粗眉。

我這行業的必備技能：喜劇效果知識大全——它是什麼？如何學到？——就是長年累月的觀察和經驗，再憑掌握趣事的天賦加以改良。喜劇存在於事件的幽默性之中，並不是刻意令人覺得有趣。我於年青時便在劇場打滾，而當中累積的經驗——從地窖中的舞臺、業餘演出、駐場劇團、舞臺雜工、電影臨時演員，或鬧劇短片所得——我都珍而重之。專業化、才能及努力是我在電影行業漸受歡迎的方程式。我知道這些並非什麼新鮮事，但根據我的判斷，它們卻對我有最大的幫助。

要當一流的喜劇演員，有趣的材料和了解什麼是有趣只是其中一部分。外表有趣是好的起點，但不能持久。一流的喜劇演員必須有默劇的知識，也要知道怎樣以個人特有的方式去呈現他的喜劇構思…要用文字表達這一切真不容易。喜劇人必須有能力吸收隨時衍生的有趣意念，即使在演出途中也不例外。故此，他可以把這些突如其來的意念加入原先的故事，繼而把它發揚光大，令原本已經有趣的臺詞和情景更加有趣。

最早期建立喜劇的方法，是讓一名或一群警員追逐喜劇主角。其他角色可有可無，但必定會有一位女郎。有時我們只有大約的概念、合適的演員、適當的地點，便會開始拍攝。我們通常會由劇情中段開始拍攝。由於負擔不起專人寫稿，羅奇（Hal Roach）和我會自己構思笑料。為了拍好一連串的搞笑環節，我們會毫不猶疑地中斷故事演進，或把整個故事拋諸腦後。在我們剛開始時，搞笑比一切重要。我們會按需要工作一段時間，然後暫停數天，直至想到新構思為止。當然，隨著劇情長片持續發展，我們也超越這些早期的拍片技巧，開始加入更細緻的橋段和人物性格。

說實話，鬧劇曾經令全球觀眾狂笑。當年我開始製作其他類型的電影時，我以為鬧劇已經過時，這實在是愚蠢的想法。不過，具有邏輯和充實故事內容的電影，必須擺脫鬧劇的大雜燴形式。我們不能讓觀眾誤以為會看到某類電影，但結果卻截然不同。我認為，如要成功製作某種喜劇，最佳的方法就是不斷改變主角處身的故事類型，引入新的角色種類和背景，即使有點天馬行空，但也要保持內容的邏輯性。成功取決於某種方程式，但並非像焗製蛋糕或裁製衣服那樣：逗笑沒有食譜或既定程序可以跟從。在一種情景下有趣的事物，如果轉換到另一種情景的話，就會變得格格不入、近乎白癡。

有些情景的確是必勝的，但不能重覆使用。雖則某個構思可能在一齣電影中得到預期反應，但若在另一齣電影重覆這橋段，就肯定會一敗塗地。觀眾的心情多變和挑剔，他們一時會對鬧劇趨之若鶩，但隨之又會鍾情較為細緻的趣味。即使一齣喜劇不能直接反映生活，它也要保持真實性。它只須通過這測試：「觀眾會相信這情節嗎？」唯獨角色本身具有可信性，觀眾才會相信。角色的行為可以不正常，但角色，尤其是主角，

絕不可以。每位觀眾都應該覺得主角是他們認識的、曾經認識的、或很容易認識的人物。

　　喜劇擁有自己的技巧。大製片商已經明白這一點。他們曾經聘請劇情片導演去拍攝有趣的電影，結果失敗收場。其後他們又找那些拍笑片出身，並於其他電影種類發展的導演。大部份劇情片導演都拿捏不到笑片的「時」和「空」，而慣演劇情片的演員在喜劇場景中的動作太緩慢，未能好好強調動作的喜劇性。我的喜劇則歸於基本，沒有語言隔閡。舉個例子，一名男孩向一位男士擲雪球，打掉他頭上的帽子——這就是基本；有人踩香蕉皮滑倒——這也是基本。

　　我們永遠都不會真正知道有什麼是絕不該做，但可以在過程中留意各種跡象，總會有所裨益。舉個例子，喜劇人不可以令觀眾認為他覺得自己的喜劇很有趣。喜劇人不能對自己的行為發笑。偶然有偉大的喜劇人，例如雷德‧斯克爾頓（Red Skelton），會對自己的笑話發笑，而觀眾也接受。但他是例外的。有人說因為我懂得構建笑位或情景，所以我有趣。可是他們忽略了我的「眼鏡人」角色本身的思維和反應在本質上已經很有趣。我跑的時候，我會用趣怪的、扭扭捏捏的方式去跑，令它有趣；我說話的時候，我採用自己特別的方式去說。我是擁有一切只屬於我的特色的個體。為了讓角色的性格保持統一，我唯有放棄許多搞笑的點子。在構建「眼鏡人」的早期，我已經意識到不能在電影中使用過多卡通化的點子，即是說，我極少在電影裡做現實生活中做不了的事情，至少要是可以想像的事情。

　　我從不除下眼鏡。我的觀眾從未在任何電影中見過沒有眼鏡的勞埃德。如果飾演女孩，我會是一個戴眼鏡的女孩。如果飾演內戰中的士

兵，我會改動眼鏡款式以配合時代背景。因此，觀眾不會因為我戴著眼鏡踢足球而覺得奇怪。就算是游泳時，我也會戴著眼鏡。我在睡覺時也會戴著眼鏡。觀眾已經接受眼鏡是我這瘋狂喜劇角色的一部份。戴上眼鏡，我是哈羅德‧勞埃德。除下眼鏡，我只是一名市民。我可以在除下眼鏡時於任何時間在街上任意行走，沒有人會認得我。對電影演員來說，這是少有的福利，有些演員還會不惜付很多錢來得到這種福利。

萊路與哈地
斯坦·萊路 Stan Laurel

> 萊路與哈地二人於1926年開始合作前分別在電影發展。下文節錄自
> 《萊路先生與哈地先生》(Laurel and Hardy)。

　　每當年輕喜劇人問我如何學會喜劇的竅門，我都不知如何回答。我想他們只是沒有我們當年的優勢。有朋友曾經問我何謂喜劇，這真的難倒我。喜劇是什麼？我不知道。有人知道嗎？可以為它下定義嗎？我只知道我學會令人發笑，這就是我所知道的一切。你要學懂什麼會令人發笑，然後朝這方向繼續。首先，你應該由一個可信性高的劇情開始，即使只是個大概，然後你就從那裡開始潤飾細節。但你要學會如何建立劇情，沒有人會教你。因此年輕喜劇人學習喜劇竅門的最佳辦法之一，就是勤力尋找暑期臨時演員的工作，例如表演話劇、不停改變角色，處身不同情景，直至他可以揣摩不同種類的觀眾的心態。他需要明白有些搞笑位為什麼會成功和不成功。當面對過不同種類的觀眾後，你就會培養出直覺：什麼能惹一個人笑，什麼會令人無動於中，如此類推。當你有天明白時，你便真正準備就緒。

　　電影《世紀之戰》(The Battle of the Century) 中擲批餅那段，我們去到一間麵包店，門前有一輛批餅車。哈地在行人路上放了香蕉皮等我去踩，恰巧批餅工人捧著一大堆批餅走來，踩上香蕉皮滑倒，滿身都是批餅。當他抹乾淨眼睛時，剛好看見哈地把香蕉塞到我的手中，明白哈地是想插贓嫁禍。他和哈地吵起來，批餅工人把一塊批拍在哈地臉上。我討厭他這樣做，便把批餅拍在工人的臉上。哈地取笑批餅工人。批餅工人

沒有向我還擊，卻又將一個批餅扔在哈地的臉上。有一個路過的陌生人想做和事佬，卻又「中了一批」。陸陸續續，其他人一個又一個捲入這場爭吵，最後蔓延至整條街道、整個小區，大家都「為批發狂」。人人都高興地扔批。鏡頭向上升拍攝全景，所有人都在扔批、扔批、扔批。有批被扔進牙醫診所，扔入窗戶，又由窗戶擲出。除了批之外，什麼都沒有——只有千千萬萬的批。接著一位全身鋪滿批的警察來拘捕我們，但他不小心踩到那香蕉皮，跌入地洞，完場。

我們從不會穿上有趣的戲服，但會為了營造特別幽默效果而穿著古怪衣服，卻不會令外表過於脫離現實。我們總是穿上企領裇衫，這在二十年代和三十年代初並不脫離現實。企領是正裝，看起來與別人有點不一樣，而又不會刺眼地與別不同。企領加上我們的圓頂禮帽給予我們的角色所需的元素——一種虛假尊嚴。沒有人會比自尊極強但又笨拙的人更好笑的。至於化粧方面，我把臉化成空白一片的樣子，以強調角色的腦袋空無一物。我用極輕的化粧，又把眼線畫在眼皮內，令眼睛看來小一點。為了加強自尊的形像，Babe（哈地的暱稱）把前額的頭髮梳成捲髮留海的效果，與他優雅的本質和裝腔作勢的姿態是絕配。

我們對拍攝時間有大約的概念，但主要是擔心出品是否出色。電影公司不會就進度找我們麻煩，因為按慣例我們的工作人員不多。由於沒有工會，工作人員會不斷工作直至我們得到心目中的效果為止。有時我們會改動一些搞笑情景，導致要修改佈景，我們會等一兩天讓改動完成。這需要時間。我們對製作一齣電影的確實時間毫無頭緒，要視乎電影類型。如果我們用同一套佈景拍白天和晚上，我們有時會整天拍攝，白天拍到深夜，直到第二天早上才結束。我們這樣做是因為想一鼓作氣拍到底，這樣做有時會相當辛苦，尤其是拍水中戲。如果你好像我們，很多

時要整夜浸在水裏，你也會很累。要隔多久才製作另一齣新電影？每次都不一樣。在電影製作完成後，我們會預先看一次，如果沒有鏡頭需要重拍，我們便會開始準備下一個故事，一般需要三至四星期左右，時間時多時少。在多年後，劇情片所需的拍攝時間當然更多。如果監製羅奇急著要我們開始，我們會在電影殺青後便立即開拍，一面拍攝一面把劇本寫完。我們會由一個構思開始，邊拍邊改良細節，但是卻經常與原本的意念愈走愈遠。我們努力工作，但不算真正有壓力。日子過得有趣，特別是拍默片時，如果有什麼不對的話，我們就大聲叫停，大笑一番，然後討論一遍再繼續拍攝。我們這個組合在邁向成名的同時，日子過得他媽的好玩又是他媽的辛苦。回想起，那些日子真的好玩。

伯特·威廉姆，所有人

安妮·查特斯 Ann Charters

> 威廉姆（1875–1922）是美國首位默劇明星，在每個流行媒體中都找到他的蹤影。他本身是來自英屬印第安群島的淺膚色移民，為了演出典型黑人角色而學習口音和裝扮容貌。下文節錄自查特斯為他所寫的傳記《普通人》（Nobody）。

說實話，我從不覺得身為有色人種有什麼不體面之處，但——在美國——我常常因為這身份而有所不便。

真的，我一向習慣記住各種方言、零碎的模仿聲音和畫面。有一天，在底特律的摩爾遊樂場，純粹為了好玩，我塗黑面孔，嘗試獻唱《我不知道你不是真的和藹可親》（Oh, I Don't Know, You're Not So Warm）。現場反應熱烈，完全超乎我的想像。從那一刻開始，我便去尋找自我，直到我可以把自己轉變成另一個人，才能夠建立自家的幽默感。

世界上最有趣的景象之一，就是有人的帽子被打凹或被風吹走——當然，那得是「別人的」帽子！全世界的笑話都是建基於寥寥數個基本意念，這就是其中一個。看見別人陷入窘境大多是有趣的，這是人生。如果你能看見自己在朋友滑倒街頭時的反應，你會知道十居其九你的本能是大笑，然後才跑過去幫他站起來，你會有禮貌地替他拍掉灰塵，問候他有否受傷，但事後你很難忍住不告訴他，他跌倒的樣子多麼有趣。真正有幽默感的人，是那個能從旁觀者角度取笑自己的人。

我從何得到默劇撲克牌賽這段演出的靈感：⋯在醫院病房裏有一個人，他的精神病明顯源自賭博、打撲克牌。他的房間中有一桌一椅。他獨自在內，自言自語，好像在和人打撲克牌一樣。他會循例來杯酒，環視四周，向他的牌友微笑。他會伸手去拿他那疊注碼，擲入底注，環視一周看看其他人是否加入，又再微笑。他會動個不停，四處摸牌砌牌，砌完後便拿起他那一手牌，再逐位對手看一眼，待牌友出牌後逐個看他們，估量他們想要多少張牌。他會一直面帶微笑，好像他那手牌是全場最好的一樣。當牌友要求派牌時他更咧嘴而笑。每位牌友都會向他要牌，他會舉起手指，表示知道他們要多少。然後，其中一位想像出來的牌友會停止要牌，他的笑容就會在一瞬間消失。派牌後就是下注的時間。每位牌友都會決定下不下注。輪到他時，他會看看自己手上的牌，放下它們。從虛擬的瓶子倒些酒，又再多看一次。之後，他會把自己最後一個泥碼押上去。

默劇是一門孤獨的藝術

艾娜·安緹斯 Angna Enters

> 安緹斯（1907–1989）是畫家、舞者、默劇人、作家、作曲家和教師。她也會編寫電影分場和擔任導演。安緹斯是首個在大型音樂會中演出默劇的人，比法國同類型的演出早了數年。下文首次刊載於她的著作《艾娜·安緹斯談默劇》（Angna Enters: On Mime）。

默劇是一門孤獨的藝術，因為默劇人在一個單獨、充滿「幻象生物」的世界中創作，這世界只會經由他而得到短暫的形體存在。

任何超越這些「幻象生物」的意願的事情，例如默劇人嘗試吸引觀眾注意他本人，發出訊號讓觀眾知悉他也理解角色的弱點，都會令這些生物委靡退縮，只剩下默劇人與他的自大。在他決定踏出角色，跟觀眾直接溝通的一剎那，他便會面對被他想像世界中的角色疏遠，以及被觀眾離棄的沉重懲罰。

我用自己的經驗說明吧。我曾在鄉下地方演出。除了一些樂器演奏、歌唱表演和當地學生演出那過氣但仍無處不在的百老匯劇《親吻與訴說》（Kiss and Tell）之外，我是當地人第一個遇上的現場表演者。連演兩場，我發覺觀眾要看到第二或第三個小品才開始明白我在做什麼，我想，讓我用稍為誇張的眼神和動作令觀眾產生即時反應，讓我努力和觀眾溝通。誇張的眼神和動作確實令觀眾發出一些聲音反應，但我很快便察覺到他們並不了解角色，而是觀眾把我的行為理解為我向他們示意，而非與我的角色融和共鳴。

我記得如此嘗試兩次後，在換上第三套戲服時，我對自己說：「我之後做好自己便可以！」

　　這個做法證實是對的。後來觀眾告訴我，當我以為自己未能成功令他們產生預期的反應時，其實他們正在聚精會神觀看演出。他們正在逐漸地覺醒，並慢慢將自身角度的認知轉移到呈現眼前的景物。他們對愈後演出的反應愈熱烈就是明證。從這角度來看，觀眾其實像出國旅遊的人，在外地逐漸發現當地人的習慣、禮儀和思想並非無意義的怪相，而是在其環境中合情合理。

　　默劇為觀賞者開啟一個新的世界，它潛移默化，而非像教師或導遊般有意地告訴你有趣的事物。默劇人無非是個形體上的媒介——他想像中的人物呈現其生命的工具。他或她，是個孤獨的角色。觀眾也好，想像中人物也好，對這人都毫不關心。在任何創作藝術中，觀眾關注的只有創作的結果。

　　我明白這種孤獨是個優勢。它提供了一種孤立感，讓我可以自由地解放自己，去表達極度熱衷的那些影像。

　　然而，默劇觀眾也有他們的責任，他們必須打醒精神配合演出。他們不應袖手旁觀，不動腦筋，自得自滿，只等待迷醉的音樂、視覺的節奏、或翻騰跳躍的絕活來挑逗他們的情感，又或是讓臺詞來告訴他們應該如何思考。默劇矛盾地可以同時滿足那些去劇場或馬戲班、準備對任何事物隨心做出本能反應的人，以及那些見識廣博、有要求的觀眾。在這兩個極端之間，是習慣抗拒與眼前演出同步的觀眾，他們是默劇人必須

誘惑的一眾。只有一種方法可以打破他們的抗拒──攻其無備！他們定
會為意想不到的痛快而雀躍。

隨便說說

查理斯·魏德曼 Charles Weidman

> 雖然一般人視他為舞者，但魏德曼 (1901–1975) 協助世人接納舞蹈和默劇這兩種形式的結合。下文來自他在《舞蹈的多面》(The Dance Has Many Faces) 合集中的文章。

　　我的舞蹈創作一直以清晰及容易理解為基礎。當涉及人類價值觀和當代經驗時，表演者必須發揮最高的情感衝擊。簡單的說，孕育意念、清晰傳達訊息、以及以高度情感呈現作品，那樣，藝術家的天職便完滿了。無論外人如何評論其藝術上的呈現，他的誠意無庸置疑。

　　有人覺得我把舞蹈作品變得像電影一樣容易理解，是過猶不及，然而這或許可以解釋我為何愈來愈相信默舞劇 (Pantomime Dance Drama)。對我來說，「默劇」一詞的定義並非大部份字典所指的啞劇，亦不是單單不用文字去說故事或做些動作，我認為它是把意念輸送到形體，令意念背後的情感變成動態，使一齣沒有文字的劇作裡的所有逗號與句號、所有的靜默時刻都突然成為動態的現實。它亦可以比喻為聆聽交響樂時體驗到的那種逐漸擴展的影像世界，充滿邏輯上的延續性和表達力，言語在其中只會顯得蒼白無力，音樂也不足以把它完全呈現。

　　我可能對默舞劇有所偏愛，因為我發現自己在舞蹈方面的天賦其實在本質上與我的演員天賦 — 更準確地說，默劇天賦 — 緊緊相連。現代默劇人也必須是個現代舞者，他的整個身體必須靈巧生動。這種狀態不能以情感經驗達致，只能靠艱苦的形體訓練。這狀態的最佳名稱應為

「身體意識」。我把它推至另一境界，在默舞劇中完全摒除面孔，即面部表情。

任何被呈現的意念會產生特有的形體和動作規律，它們的本質是純粹的抽象。雖然默劇基本上並非單純的說故事，一個故事可以──而且常常都是──依賴當中的情節來完成。要達到這目的，就必須有嚴謹的形態 (Form)，因為只有形態才是通往藝術的道路。

為了與觀眾溝通及利用最容易理解的方式傳達我的訊息，我經常會選擇幽默這渠道。幽默有很多種，但最重要的，無論何時，幽默只可以來自表演者本人，並由他自己去傳達。

我在開始時採用最明顯不過的幽默，虐待式的幽默，這對任何觀眾都萬試萬靈。然而，隨著時間流逝，我會不斷尋找讓我達到目標、更廣義的表達方式，並嘗試以形體傳達任何感情精粹，並把它抽象化。舉個例子，與其猶如一名被淋上一頭水的歌手般的大發脾氣，我反而會嘗試在不呈現歌手形態和沒有那桶水的情況下，引發這種激動。我的嘗試最終造就名為「動態默劇」的舞蹈。在這個作品中，我將因果、衝動與反應交替、反轉又扭曲，造成好像萬花筒的效果，完全毋須使用任何直接的意象。

從這種喜劇式的默劇到演出瑟伯 (Thurber) 的《寓言》(Fables)，我走了很長且艱辛的路。不過，即使其定義被擴闊和伸展，我對這個議題的基本方向從未改變。內容及形態在我編排的默劇中同等重要。我從不相信沒有嚴守形體的演出可以達至藝術的層次；也不相信無視四周生活，或以單純的幻想和浪漫來逃避真實生活的藝術家，可以觸動觀眾的

心靈。藝術需要我們成為生活的一部份，並融入其中。藝術和生活猶如藝術家與觀眾般不可分割。

我會從實招來

雷德·斯克爾頓 Red Skelton

斯克蘭頓（1913-1997）是1950年首批的電視Pantomime演員。他和很多早期電影喜劇大師一樣，在綜藝喜劇界、夜總會、馬戲團和賣藥表演中獻藝，然後才開始現身於電影和電視，下文節錄自《密爾沃基期刊》（Milwaukee Journal）的早期連載自傳式文章。

我在十二歲的時候，已經是一名賣藥表演和歌唱組合的資深演員。當時我在密西西比河上的一艘遊船上演出。不過，說實話，雖然我表演的範圍相當廣泛，但質素卻差勁，甚至遊船舵手在我掉進河中時都這樣說。他快手快腳地把我的衣服和行李箱扔入河裡，以恐嚇的姿態揮動粗重的手杖，並大聲兼衷心的說希望我淹死，如果我死不了，就繼續漂流，直到遠至明信片至少需要一個月才能到達他手裡的地方為止。

那次是災難性的失敗，亦不是我的第一次，或最後一次。自非常早期開始，我就經常經歷失敗、跌入困境。事實上，在我十歲生日那天，我「跌進」人生第一個賣藥表演的演員角色。

那個表演在我們小鎮裡的一塊空地舉行。我覺得有趣，於是便去見表演的醫生，表示我想加入。他問我：「你有什麼技能？」，並從我的一頭紅髮到那對又大又破的鞋上下打量。我說：「我懂得彈結他，又會唱歌。」他迅速回答：「去吧。」，並指向聚集的人群。但人們不欣賞我的表演，就像遊船的舵手一樣。醫生說：「孩子，你騙我。試試去賣藥吧。」他把一堆藥塞給我，我急急走向人群。當賣藥完畢正爬上樓梯回到臺上時，我滑了

一交，頭下腳上地栽倒地上。有人因此鼓掌，而我亦就此得到靈感。我自此便一直為觀眾「跌倒」。恕我誇口，他們至今已經為我「傾倒」了差不多十七年，其間只有數次例外。

當日從樓梯「飛撲」出來的事業引領我經歷娛樂圈大部份的非正統形式：賣藥表演、遊船表演、駐場劇團、仿黑人歌舞團、仿鬧劇、綜藝喜劇、廣播及電影[22]，也有一些出人意表的工作或玩樂場景，我也差不多全都做過，除了演莎劇之外。不過，恐怕演莎劇是我命中注定永遠無法達成的野心。

我勤練結他，輕唱歌謠，終於成為醫生的表演中一個必要的成員，尤其是賣藥後那些誇張幽默的短篇，例如《查理，過來河這邊》(Over the River, Charlie) 和《電話亭》(The Phone Booth)。然而，我聽到戲劇的呼召，於是便離開醫生，加入了約翰·羅倫斯駐場劇團 (John Lawrence Stock Company)，並於伊利諾州、印第安那州和鄰近州份巡迴演出。當時我十三歲，演的卻是老人角色。我塗上化粧品，捏著聲綫，從五十歲的忠心農夫到九十歲的壞老頭都能演。之後，我遇上史托黑人匯演團 (Stout's Minstrels)，於是放棄話劇，塗黑臉孔，成為團隊中快活又跳脫的隊尾搞笑者，我最拿手的劇目叫《把雛菊的花瓣拔下來》(Picking Petals Off Daisies)。直至現在，我仍然能夠又彈又唱，讓朋友們高興地懷緬那些仿黑人表演的日子。

接著是密西西比河的「綿花花期」遊船。那遊船是一盤不小的生意。我們在泊岸時，便以出租廣告位換取門票、肉食、蔬菜和日用品，在沒有交易時就只可以靠河中的漁獲過日子。之後，我決定試試鬧劇。我在十四、十五歲那兩年，於最好的鬧劇劇場巡迴演出，跑了個大圈：包括印第

安納波利斯市、堪薩斯城、水牛城、多倫多、南本德市、聖路易市和芝加哥。我是行內最年輕的全方位喜劇演員。

　　經過一大段枯燥的日子，我終於見到光明。在洛斯劇院遴選時，全場鴉雀無聲，只有一個叫伊芙露斯的女孩被我的小丑把戲逗笑了。她和我簽約，去當蒙特利爾市麗都夜總會的司儀。這對我來說十分新鮮，事實上，我從未進過夜總會，當時的我窮得只要有三文治加附送一杯咖啡，就願意打一籠子老虎。我也開始吉星高照。簽約工作本來是一星期，我卻在麗都足足逗留了六個星期。有一晚，盧域蒙特利爾劇院的哈利·安格（Harry Anger）來看我的演出。他帶我到劇場表演，連續二十六個星期，打破了劇場的紀錄。

　　然而，高傲會引致失敗，我的下一站是芝加哥州立劇院。我失敗的龐然巨響應該全世界都聽說過。我始終找不出原因，但我的演出是如此「刺鼻」，他們至今還要在樓座燃香辟味！更耐人尋味的，是我轉去同一城市的斯特拉特福德院演出時，卻熱火朝天，大受觀迎。這就是娛樂界。我從蒙特利爾去到多倫多，然後在這兩市之間來回表演。接著是旋轉木馬般的時間表：芝加哥的皇宮劇院，又轉去別的劇院…，最後哲尼·福特（Gene Ford）重金禮聘我到華盛頓的盧域劇院演出。

　　哲尼於事前的宣傳將我打造成光彩四射的少年，令我也搞不清華盛頓的觀眾有什麼期望，不過我肯定不是光彩四射，尤其當我在一出場時就掉進臺下的樂隊席。雖則如此，劇評人還算仁慈。他們說，我不是那種可以感動人心的類型，但很有趣。他們這樣說已經令我感到滿足。幸運之輪不停運轉。我最終在綜藝喜劇以主角身份在全國最大的幾間劇院連續演出五十二星期，包括紐約，我相信這是個紀錄，至少過去十年沒有

人能夠打破。在這一刻，我的口袋裡有大約五十個星期的綜藝喜劇合約在手。我絕不會對電影這玩意貿然冒險…

綜論二十世紀的默劇：現代默劇

芭莉·羅夫 Bari Rolfe

> 「設計的線條並不是模仿實物的線條，反而是捕捉並呈現形態的動作蹤跡。」
>
> — 艾倫 Alain

> 「藝術，尤其是喜劇藝術，通常是做多於想。」
>
> — 沃爾特·克爾 Walter Kerr

> 「西方藝術全涉及行動。東方藝術卻是行動與行動之間的事情。」
>
> — 米山曼舞子 Mamako

> 「在一個瘋狂的世界中，誰會比瘋子有更多話想對我們說？」
>
> — 卡盧·馬素尼-金文泰 Carlo Mazzone-Clementi

> 「電影是從現實創造幻象的藝術；默劇是從幻象中創造現實的藝術。」
>
> — 馬塞·馬素 Marcel Marceau

在1960及1970年代，默劇的發展進程愈見蓬勃。默劇成為了潮流——從1973年「國際默劇及啞劇人組織」（International Mimes and Pantomimists）成立、馬素全球巡迴演出、瑞士默劇團（Mummen-schanz）在百老匯連續演出超過兩年，以及1974年起出版的《默劇期刊》（Mime Journal）和1978年起出版的《默劇、面具與木偶》（Mime, Mask and Marionette）兩份刊物的面世。國際默劇節大行其道：於1962年起，

柏林、蘇黎世、布拉格、法蘭克福、亞維儂、摩洛哥、史特拉斯堡、科隆、倫敦、多倫多、拉克羅斯和密爾沃基都舉辦過一次或多次默劇節。

如此近期的事，我實在未能評價或總結這潮流。現在我們見到的，就是默劇範疇不斷擴展。首先，一如所料，馬素的影響力令很多年輕人模仿他，外表是學足的（白面、幻象物件、短篇），然而卻缺少內在信念，甚至看不出外在技巧是整合內在思維與感覺的結果。有些較早期的非傳統默劇，例如寇蒂斯的美國默劇劇場（American Mime Theatre，於1952年成立），以及安緹斯和魏德曼的舞蹈默劇，都有一定的曝光率，但沒有像馬素般廣泛流傳。前者主要是在紐約，後者則只有舞劇觀眾。然而馬素除了在臺上展現其超凡的藝術外，更透過電視、電影和音樂會網羅成千上萬的觀眾，由此激勵和影響大量的年輕藝術家。

其後，默劇形式有明顯的轉變。歐洲的默劇人探索新的形式，他們部份於1974年的拉克羅斯默劇節首次在美國亮相。到了1978年的密爾沃基默劇節，大約一半的美國演出者使用傳統法式默劇技巧，另一半則轉而向小丑發展，或只用少許傳統形式，並將之與長篇作品、真實道具和臺詞等非傳統形式結合。他們又或會將默劇融入總體劇場（Total Theatre）這大框架中，並以臺詞、舞蹈、旁白、默劇、面具、小丑、布偶、影像投射和任何其他技巧作不同程度的組合。

默劇作為總體劇場的一部份並不是新事物。我討論亞洲劇場時*，就表示亞洲的表演形式本身就結合了默劇，因此亞洲戲劇中不會有獨立的默劇。在歐洲和美國則有多個著名的劇團和劇目，以默劇為其重要特色：1959年成立的三藩市默劇團（San Francisco Mime Troupe）；1961年成立的麵包和傀儡劇團（Bread and Puppet Theatre）；1965年

*譯者註：亞洲劇場部分在內的文章將刊登於本書的下集。

成立的農民劇團（El Teatro Campesino）；1967年成立的國立聾人劇團（National Theatre of the Deaf）；巴洛在1968年出演的名作《拉伯雷》；太陽劇團（Théâtre du Soleil）1971年的劇目《1789》；以及達利奧·庫奧（Dario Fo）和他的團員自1960年代中期起的作品。現在，愈來愈多默劇團正朝著類似的方向發展。

現在的默劇界也包括政治默劇。舉些例子，農民劇團和麵包與傀儡劇團源自支持工會及反戰這些政治議題，而庫奧的社區劇場更具有顛覆性的觀點。

從前的默劇藝術以男性為主，但近年女性默劇人的數目明顯增加，有些是默劇團的成員，有些是其領導者，亦有獨當一面的演出者，例如米山曼舞子、葛素拉（Lotte Goslar）、萍諾與瑪杜（Pinok and Matho）。

＊　＊　＊　＊　＊

默劇藝術現在方興未艾，沒有衰落的跡象，許多躍躍欲試的年輕表演者繼續投身形體藝術——我說「形體藝術」，因為「默劇」這詞的含意會不斷改變，甚至會消亡——如果「默劇」一詞會局限必然發生的探索和成長的話。不過，無論默劇藏身於哪種形式，充滿含意的形體藝術是永遠不會停止帶來魔幻、昇華及歡樂的。

靜默的探險
馬塞·馬素 Marcel Marceau

> 馬素在1944年成為德庫的學生，並於1946年首次演出默劇式戲劇（Mime Drama）。他的著名角色必必在1947年正式誕生。除了他的創作，馬素更「創造」了默劇觀眾。在他之前，看戲的人只有一小部份會看默劇。馬素也是一位作家和畫家，出版了數本包含其畫作的書籍。下文節錄自《馬塞·馬素或靜默的探險》（Marcel Marceau ou L'aventure du Silence）一書。

風格默劇？我以這項目為開場演出，目的是讓觀眾認識默劇。從某方面來說，這演出項目是一個課堂，是形體的各種練習，猶如鋼琴家彈奏蕭邦那些困難的練習曲一般。如果你看畫家的手稿，也可以看出他的技巧十分高超：看看安格爾（Ingres）[23]或提埃坡羅（Tiepolo）[24]的手稿吧。

我的風格默劇分為三個階段。首先我會將人與自然元素連起來：火、水、空氣、風。我的劇目《樓梯》（The Staircase）、《拔河》（Tug-of-War）、《光學錯覺》（Optical Illusion）、《逆風而行》（Against the Wind）是馬素式的德庫技巧。它們純粹是高超技巧的練習。跟著的劇目，例如《賭骰子的人》（The Dice Players）和《服裝店內》（At the Clothier's）則是透過戲劇化或喜劇形式去展示技巧的小品。

在《公共花園》（The Public Garden）劇目中，我創作了人物轉變：由年輕人變為老人；由老人變為軍人、護士、小孩、賣汽球的人和一尊塑像——全是用自己的方法。我叫這方法為「人物變換」（Retournemen du Personnage)。在《青春、成熟、老邁與死亡》(Youth, Maturity, Old Age and Death)的劇目中,我用四分鐘表現一個人的生、老、病、死。我將劇中時間濃縮,這是表達「人生七時期」[25]最抽象的方法。再看看以前的小品,《走鋼索的人》(The Tightrope Walker),它利用戲劇化效果令觀眾「目睹」於十米高空的人,因而產生焦慮的感覺,但演員其實一直在地面。此外,我展現「可見與不可見」及「在空間中的支點」,令人以為我在虛空中依傍著實物,但事實上卻是空無一物的空間。那個階段還包括《面具工匠》(The Mask-Maker)、《牢籠》(The Cage)和《對比》(Contrasts)這三個劇目。《面具工匠》追隨意大利貴族宮廷擠眉弄眼娛賓人(Grima-ciers du Roy)的傳統風格,成為默劇的古典劇目:一位面具工匠把玩著七個面具,其中一個黏在他的臉上,無法脫下,這裡用上了波特萊爾(Charles Baudelaire)[26]《面具》一詩中對面具的符號象徵的不安,以及雨果《笑著的人》(The Man Who Laughs)一書的意象。這劇目想表達的是,我們全都戴著多個面具,但有一個會是我們臨終時才顯露,並且呈現真相的一剎。我所演的面具工匠撕下笑面面具,發現自己猶如剝掉面皮,露出孤寂的真面目。

在《牢籠》中,觀眾的眼睛看見不存在的物件。那個以玻璃打造的牢籠,象徵著一個人獨自被困的空間,自由被限制。他的命運已定,即使衝出牢籠,也只會發現自己身處另一個更大的牢籠裏,而這牢籠卻會逐漸縮小。走廊和迷宮悄然迫近,卡夫卡的世界圍困著他。我們畫地為牢,只有自己才可以衝出去——無論如何,人生就是徘徊在生死這兩個極端之間,而所有哲學亦來自這命定的泉源。在默劇中,高超的技巧很重要,因為我們必須創造不存在的牆,令空氣猶如實物一般。

《對比》這劇目展現人類在20至40歲期間需要面對的一切。劇情猶如新聞報導般推進：有人死了，另一人結婚；有人被槍殺，另一人去跳舞。身體的一連串變化把事情由一種狀態轉變到另一種，就像變色龍一樣。

　　第三階段就是現在的階段，我愈來愈傾向隱喻和抽象。《手》(The Hands)、《創造天地》(The Creation of the World)、《光與影》(Light and Shadow)等劇目都是此類作品。這階段的風格默劇代表抽象默劇，亦即是我現時的狀態。

　　風格默劇展現所有人性的符號主義：人與神、人與動物、或純粹被纏繞在夢境與現實、生與死之間的人。因為角色希望可以代表「一般人」，我讓他維持白面白衣。白色有中性、純淨的意思。

　　必必是個瘦弱、未墮凡塵、如月亮般的人物。一道紅痕劃過他的嘴唇，眼睛上的三角形狀——他是卓別靈的弟弟、白丑的兒子。他也像唐吉軻德一般，被風車刮得無法站直，像個富有冒險精神的流氓。當必必成為英雄時，觀眾認同他，並透過角色向壞人報復。觀眾看著必必經歷情感大爆發，以至踢人屁股來洩憤，這都是他們心中所想的事情。然而，公眾亦有殘忍的一面，會取笑自己投射在必必身上的不幸。必必只是一個象徵全人類的人物。在《必必捉蝴蝶》(Bip Hunts Butterflies)，顫動的蝴蝶代表心態，飛去無蹤的蝴蝶象徵逝去的愛情。《必必當上瓷器推銷員》(Bip as a China Salesman)是關於處理脆弱物件的緊張。《必必去社交宴會》(Bip at a Society Party)就是社會諷刺劇。出自《好兵帥克》(Good Soldier Schweik)[27]的《必必當兵》(Bip as a Soldier)是反戰劇目，他的

智慧全用於與鈕扣搏鬥、搞定太大或太小的頭盔，對抗最終以爛泥和戰爭來了結的無厘頭，以及醒悟死亡在無用的戰爭中，是多麼的荒謬。

必必象徵人性，也可以是傳說和神話人物的代表。必必是你和我。在二十歲時，他會眺望天際，充滿詩意。由於我不想他老去，所以讓他停留在銀幕上。當我組織劇團，當我創作新劇目去展示默劇不只是一個人的表達時，在那些角色中，只有必必會是白面。

默劇是外向的，需要選擇清晰的人物，以行動來連繫他們。不能表達的事情就是虛假或含糊不清。用動作來「解釋」是不純正的默劇。例如，我們不能用默劇表達「這位不是我的媽媽，而是岳母。」要說清楚的話，就要用字幕板。更好的做法是取消「岳母」這事物！默劇不能處理對白。然而默劇最能表達的是死亡，或偶爾經歷的狀態，如戀愛、夢想、飢餓、口渴；是在到達最終結果前的一系列轉變。默劇也善於表達相反的狀態：夢想與現實；愛與恨；富與貧；痛苦與歡欣；事物大小；形而上的傷痛；與天地元素（風火水土）相吻合的狀況；與社會衝突而生的悲劇及喜劇。

我們這世代造就了我們的藝術形式，它正變得抽象，愈來愈少說故事。人們的理解力更強，這可以解釋為何風格默劇相比一些必必的故事劇目更廣受歡迎。

即使如此，獨腳劇目的角色已經建立了自己的身份，他們是複雜默劇世界的一部份，一個代表人類身處永恆時間中的願景精粹。

默劇、形體、劇場
賈克·樂寇 Jacques Lecoq

> 樂寇是柯波劇場事業所孕育的「法國四大師」的第四人。他通過體育認識默劇，然後加入尚·達斯提（Jean Dasté）的形體學校和劇團，而達斯提曾與柯波共事。樂寇其後在意大利的巴杜瓦大學劇場和米蘭的皮可羅劇團（Piccolo Theatre）教學及編排默劇。他為這兩個劇團及其他劇團設立形體訓練課程。在1965年，樂寇在巴黎創立自己的學校。樂寇主要視默劇為研究藝術，因為「在共通的默劇資源裏，藝術家會裝備自己去選擇投身不同的表達方式。」本文來自《耶魯／戲劇》（yale/theatre）刊物。

人們經常問我：「你的學校是做什麼的？是默劇嗎？」

我總是覺得提出這問題的人把我的學校局限在「無語的正統主義」中。「默劇」一詞本身已經局限其定義。人們總以為是一個不說話的表演者，做出各種造型的動作，展示想像的物件，又或者對你擠眉弄眼，要你明白他在笑或是在哭。

我會回答我不是做默劇，不是那種默劇。

對我來說，在我學校學到的默劇是所有表達方式的根源。無論是以動作顯示、建構、範式、發聲、書寫、或說話，基礎性默劇是劇場世界中最偉大的學派，因為它建基於形體上。

我們可以在動作背後的動作中，文字背後的動作中，實物的移動中，在聲音、顏色和光線中，找到這學派的根源。人類依靠「模仿」的能力來理解它，即是，以他整個人去重構這世界的方式，來確認自己是世界的一份子[28]。從沉默的身體起始，人類要表達自己的衝動逐漸成型——戲劇的衝動，然後便出現戲劇的創作。

我見到這團火在我體內熊熊燃燒。我可以藉行動成為這團火的一部份；我把自己體內的火奉獻給這火。身體的印記[29]給予文字生命。但如果文字離開了身體，就會漫無目的，四處流浪，然後被給予一些方便的定義，接著便會僵化、死亡，只剩下一片虛無。

因此，我們要從身體開始探索。

學校提供兩年課程，學生在過程中會認識各種戲劇方向、不同劇場演出帶來的挑戰和實驗。透過這種方法，學生可以自行決定自己身處的階段，了解到眼前的各種可能性，以及完全自由地進行個人創作。如是者，學校的教學通往不同劇場形式，然而一定會連接秉持基本形體價值的劇場。學生要先觀察學習，然後經由模仿、再建構來再把觀察變成自己的東西。

來校的學生並非一張白紙。他們大多已有一些劇場經驗、既定概念、固有看法。我們必須在一開始時「回帶」把這些學過的東西扔掉，把自己置於「無知」狀態，才可以重新發現那些最基本的元素。我們再不會只看見身邊事物的外在：一株植物、一棵樹、水、一匹馬，它們會順著情況改變而變化。

第一年的課程會集中於引導學生扔掉既有的觀念，令他們重新開放身心和感官，以觀察的方式認識生命。我們不會在這階段談論劇場，而只理會我們四周的人、物、事。我們模仿和展現人、自然現象、動物、植物、樹木、顏色、光、實物和聲音，並超越我們對這些事物的認知，用即興表演來展現它們的空間、節奏和呼吸。我們分析人類的動作：他如何行走、前進、翻騰，所有他為了移動和進化所做的動作，那些形成人類行為的「推」和「拉」。我們嘗試感受提起一隻手臂的感覺，這形態在我們體內創造出一個戲劇性的狀況，而身體形態與心靈內在形態是有關連的。

分析簡約的身體動作（以最少力氣達致最大結果）和中性的戲劇狀態（能對當下靈活反應，不帶過往或情感的牽絆），令我們更懂得如何展現生命，讓我們一直維持在發現的狀態，不受先入為主的觀念或個人衝突的投射所影響。

我們回想過往的情景和遺忘的記憶；我們投射自己的夢想和想像。我們研究熱情和衝突的情境，藉此掌握它們的精粹和動態規則，而身體從中接收的「印象」比身體的「表達」更重要。上述的探索，加上對事實的了解，學生便能奠定將來選擇的路向、風格、獨特和特定的定位，從而重新塑造世界。

第二年的課程為學生提供多方面的戲劇指導及不同程度的創作，由日常生活以至符號抽象性的都包含在內，猶如將表演和劇場框架內的一排窗戶打開。

透過不同課堂，學校為學生提供一個追尋知識的方向。課程並不是以單向銜接方式進行，而是以相互關連，平行推進來達到一致的進步

課程以接軌專業的教學方法來為學生作好入行準備，同時也連繫著對生命的認識，並且不斷探索。按各人選擇的職業，劇場、默劇、舞蹈、電影及其他人類的表達方式會成為連繫藝術家和世界之間的渠道。

在面對學生時我們是創作者而非某特定藝術原則的解說者，然而，我會利用幾類稱之為「極限」的劇場為例子，讓學生知道如何在劇場中毫無保留地使用身體。這幾類劇種可以成為他們的參考點。因此，我會用上以行動帶動演出的意大利即興喜劇（Commedia dell' Arte），以及以演辭為內涵的希臘悲劇：它們會運用整個身體：下盤、心窩[30]和頭部。

我們會用上很多面具：中性面具（Neutral Mask從來沒有過去或情感牽絆）；性格（或稱表情）面具（Character Mask/ Expressive Mask）；誇張怪誕面具（Grotesque Mask）及未成熟面具（Larval Mask）。這些面具讓人從行動、衝突中找到支點；並找到代表日常生活中許多動作的必要元素和精要動作，象徵著所有文字的文字。所有偉大的事物都傾向靜止（靜止也是一個動作）。

文字和動作的匯合點是探索的源頭。文字必須由身體接收的印象賦與力量，而非單靠自行定義。

啞劇（Pantomime Blanche）是直接用動作代替語言的劇種。它為學生提供了研究語言的機會，我們嘗試尋找古羅馬默劇人和十九世紀默劇大師德畢侯的足跡。在那些醉生夢死的時代，只有頂尖的大師才能流傳後世。

在過去數年，我的學校亦重視小丑藝術的學習，並非是傳統那已僵化的馬戲團小丑，而是著重於尋找人類的無稽。在如今的氛圍下，小丑已經代替英雄，英雄已不復存在於劇場中。我們強調探索自己內在的小丑，那個在我們心中一同成長，但社會不容我們去表達的部份。每個人都有絕對自由，可以做回自己，真正的自己；小丑也包括孤獨（Solitude）的體驗。孤獨是理解「團隊」（Chorus）[31]概念必需的基本體驗。在我們的年代要了解「團隊」的概念是十分困難，由於沒有了英雄，我們需要一夥人磨合至思想一致，行動一致，而小丑的孤獨有助把兩者連繫起來。

在畢業前，學生必須進行寫作和音樂這兩項實驗——以身體的體驗為起始——他就可以找到展現創作的語言。然後，他便會離開學校…

大地眼中的電影

賈克·大地 Jacques Tati

> 大地曾經是在音樂廳表演的默劇人。他出身是個運動員，故此在其初出道的默劇中可以見到美式足球、網球和拳擊的影響。大地其後參演一系列短片，在1949年電影《節日》(Jour de Fête) 中首次擔演主角。這齣電影跟其後的《胡諾先生的假期》(Mr. Hulot's Holiday) 及《我的舅父》(My Uncle) 均獲獎。大地兼任編劇和導演，更在自己的電影中粉墨登場。以下文字節錄自他的自述。

　　人未必一定知道自己為何選擇某種職業，但重要的是要親力親為，或許我會在過程中犯錯，但這是我的親身體驗。如果我的技術水平高一些，在《節日》中就不會有那些低級錯誤，當中情節也會充實一點，劇本結構也會好些；但沒有那次創作，戲中那繫人心弦的單車細節也不會呈現出來。當時我需要把劇情寫得比較誇張，簡單來說，就好像明信片一樣，以展現最美好情景的通俗技巧來吸引外國遊客。

　　我會在街上閒逛，將大量筆記寫在一本小記事簿上。當創作了角色後，我就會找到其搞笑位；胡諾先生的搞笑位其實一早預定了，我不相信搞笑位會在拍攝期間浮現出來。胡諾式的搞笑應該是他自己也不覺察的，不像卓別靈那般向觀眾拋眼色，不用向觀眾表示：看我如何應付這情形。或許，觀眾會更欣賞那個即場找到搞笑點的人吧。

　　你要知道什麼是不可以做，除此之外，技巧其實不是那麼重要，你要跟隨當時環境和自己的靈感行事。不要嘲笑觀眾，他們比起那些看

不起群眾的人，更富有良好的品味和常識。他們喜歡那些以娛樂為目標，而非高高在上的電影。

我的創作以創造角色為第一步，然後再讓角色在劇情中發展下去。在過程中，我學會如何了解他們。舉個例子，工業家的妻子雅浦夫人（大地電影中的一個角色）。當她用抹布清潔車門的鎖匙洞時，人們會覺得她會同樣清潔丈夫的耳孔，如此類推。當角色成型，我便再不用獨自創作。我會邀請其他人一起合作——我們會交流意見，大聲說出自己的想法。這個過程需要時間。在知道所有角色和他們遇上的情景後，我們便進而為場景搭建模型，這工作是由我與傑克·拉剛治（Jacques Lagrange）和設計師皮雅·艾迪（Pierre Etaix）一起進行。在這個準備階段，我們會繼續創作，並問自己：「現在已經有角色、場景、情況，那我們要怎樣敘述這故事呢？」

事實是，到了開鏡拍攝的第一天，我根本不用劇本，不是因為我無視劇本的存在，而是我對自己創作的故事了然於胸，每個分鏡、每個轉接，以至每個動作都十分清楚。「連續創作階段」在此完結。我開始尋找演員。為了雅浦夫人這角色，我就面試了六十人，雅浦先生的角色就有四十人，如此類推，即使小角色也是如此。

當有人演出幽默或惹笑的作品時，人們通常都會將他與卓別靈比較。卓別靈拍攝了57或58部電影，當中56部是成功之作，難怪人們會拿卓別靈作典範。不過，這些評論者的論調沒有章法，把不同的風格混作一團，那就得以正視聽。拿《胡諾先生的假期》中的一個搞笑位做例子吧。他來到墳場，要開動他的汽車，於是在車尾廂找出曲柄扳手，順手拿出車胎，車胎變成了一個花圈，葬禮主持人以為花圈是胡諾先生帶來的。你可

以說:「胡諾先生沒有為意到搞笑位。」對,他真的沒有為意。他所做的可以發生在任何一個漫不經心的人身上,不帶搞笑意味,搞笑的創作是來自劇作家或情景,但發生在胡諾身上的事,很多人都會遇到。基層中生活著許多胡諾。胡諾沒有發明什麼。

至於卓別靈,如果他覺得一個搞笑位可以放進電影——我不肯定這是他的想法——他也會以胡諾的方式進場。不過,他知道這會是災難性的場景(汽車的駛入打擾了莊嚴的宗教儀式),於是他開啟車尾廂找出車胎,接著將樹葉黏上去把它變成花圈。葬禮的主持人會像接受胡諾先生的「花圈」一樣接受卓別靈的花圈。大家會覺得卓別靈的角色棒極了,因為身處那種以為無法脫身的場面,他就在眾目睽睽下、在銀幕上,發明一個搞笑位。這個搞笑位逗樂觀眾,令他們說:「真棒!」。觀眾卻不會這樣說胡諾。他不屬於「棒」,因為他遭遇的事也可能發生在你身上,在每一個人的身上;你在車尾廂摸索,有東西跌出來,你拾起它,那是正常不過的反應,這點可以令你可以看到兩種截然不同、完全相反的風格。胡諾永遠都不會發明任何東西。

基頓沒有建立任何東西,他只會忍耐、接受,記得電影《導航員》(The Navigator)內的搞笑位嗎?就是他掛起船長畫像的那一幕。當船的頭尾在上下搖擺時,從船窗往內看,就好像看見有人在看著外面一樣,那境象簡直令人無法抗拒。

胡諾重要的地方在於不妥協。一個搞笑位一旦完成了,我不會再次重覆,不會再採用同一條方程式。很多人對我這種做法不以為然,但舉例說,有個男人繫著領帶,拿著鎖匙在兩度門簾前,就是這樣,沒有其他。有些人或會繼續利用這情形推動劇情:他太太帶來一名少女來協助他,

如此類推。在「這是電影」的前提下，角色或應該繼續演下去。然而，事實卻非如此。正正是因為事情發展到那點就戛然而止，那才好笑。

我會做很多準備工夫，但到了拍攝時就不會用劇本，因為我已經把一切熟記於心，可以心來拍攝。在之前一晚，我會開始溫習電影主題，讓一幅幅的影像在腦海中掠過，然後牢牢記住它們。到了拍攝場地，我立即知道對演員的要求，自己要如何演繹，完全不需要看劇本。由於一切已在心中，我可以放開自己，無所顧忌地盡情發揮。我不搞即興，所有事情一早了然於胸。剪片亦如是，我只會看著影像，以心來剪片。真的，我向你保証，這些電影全代表我想表達的事情，如果觀眾不喜歡的話，我會負全責。對於這麼多好導演被迫順從各式各樣不合理的要求，我十分關注，就好像今時今日只剩下「責任」。至於我，我一直可以到聖茂亞鎮這心水地點拍攝，並且搭建我心目中的胡諾小屋。我認為能如此做是重要的。不論是那個國家的電影業，甚少有人可以說：「我拍了一齣電影，裡面全都是我想做的事情。」我崇拜布列松（Bresson）的作品，不過他不再拍電影了，這真是遺憾不已。

我覺得嚴重的是，年輕人只得一條出路，就是拍商業片。這十分危險。拍畢《節日》，特別是完成《胡諾先生的假期》之後，有人找我拍一齣意法電影，並建議戲名叫《托托和大地》（Toto and Tati）。我不是不喜歡托托——他是優秀的演員。不過，戲名叫《托托和大地》是個危險的舉動。我認為藝術自主是必要的，我們要負起捍衛它的責任。

我到處觀察別人怎樣生活，我四處跑，去足球賽，去博覽會。我有時會接受邀請出席各種場合，我會在高速公路旁呆上數小時看路過的汽車。我會聆聽別人的對話。我會觀察面部的肌肉抽動、細節、談吐、舉止等

等，這些透露個人性格的行為。我留意到司機會比行人表現得更暴躁，因為坐在駕駛盤後，他覺得自己被困在一個巨大的競爭中。我不會著重當中的訊息，純粹是對人、家庭、兒童、各種服務和在日益公式化機械化的社會中出現的問題感興趣而已。我希望觀眾在「進入」我下一部電影時，可以猶如「進入」一個既熟悉又未知的社區一般。我希望那齣電影會持續上演下去，觀眾可以在任何時間進場，例如在那些天氣不夠好，不方便坐在街角咖啡店平臺的日子。

　　我呢，我就是喜歡觀察，以及讓笑片變成諷刺劇。一個郵差派錯信的諷刺劇。一個渡假人士不肯放假的諷刺劇。不過，誇張的劇情猶如馬戲，人們已經愈來愈少去看馬戲，看馬戲已經不能滿足我們。

默劇和其他
萍諾與瑪杜 Pinok and Matho

萍諾與瑪杜（蒙妮卡·布贊特Monique Bertrand和瑪修迪·杜蒙 Mathilde Dumont）這兩位女士是法國人，自1964年起拍檔演出多元化的默劇短篇，當中包括由喜劇、寓言、鬧劇，以及超現實主義。她們亦有教授戲劇及巡迴演出，還著有三本教科書，並偶爾演出話劇。以下是她們對多元表演的綜論。

「默劇」一詞是模糊的。對很多人來說，默劇是假裝出來、引人想像，一種建構（令人見到幻象的物件、幻象的空間），他們是對的。然而，默劇同時也是其他東西，那些「其他」才對我們重要。炫耀技巧不重要，我們追求的是感受、傳達那些戰慄、踟躕不前、震動卻動不了的狀態，並藉著它透露祕密的、內在的我，表達那些無以名狀的事物，以及看穿表象。

我們自覺不像舞者，反而貼近演員，就是亞陶（Artaud）所說的「情感運動員」，整個身體——一堆肌肉電波、抽搐、收縮和靜止，一個完美的收發器——可以重組那種一般非肉眼看得見的深層生命，喚醒內在的衝動與破壞慾，並包含所有形式的能量。使用形體的演員有如畫家和作家般演變著。畫家不一定是寫實派、立體派或印象派，同樣地，默劇演員會選擇自己的表達風格，無論是夢幻、幽默、精彩絕倫還是怪誕。有時人家對我們說：「你們那演出是舞蹈啊！」或「你們在說話！那不是默劇！」如果我們覺得有需要發出或使用人聲，我們就會做。如果我們認為有需要使用道具，我們就會用。我們想打破不同形體表演形式間的隔膜，不想

把自己局限在單一形式之中。我們選擇默劇，因為我們認為動作不是裝飾。它是我們沉浸其中的行為，是表達情感和意念的方法。

對我們來說，準備一個演出的重點，不是找到意念，而是把即興創作過程中紛沓而來的素材加以剪裁及定出動作意念，找出最主要的動作，把畫面精煉到最基本、最必要的元素。最重要的，是找到最適合中心主題及演繹者的形體風格。

英國的默劇

奇福·威廉士 Clifford Williams

> 威廉士曾是蘭伯特芭蕾舞團（Ballet Rambert）和瑪柯娃—杜林舞團（Markova-Doline）的舞者，他在1950年創立英國當時唯一的專業默劇團——「默劇劇場」（The Mime Theatre Company）。他現在（1970年代中期）專注於撰寫劇本和導演工作。本文取自《歌劇、芭蕾、音樂廳》雜誌。

學生：我從戲劇史中得知，默劇曾經在不少年代是獨立及非常流行的藝術。您說默劇可以在現代劇場中以完全獨立的方式呈現，而非僅屬於整體的一部份——例如芭蕾舞或話劇。您是否在創作中運用了過往的默劇傳統呢？

導演：並非如此，你所指的默劇語言——我想你是說羅馬時期的滑稽默劇（Burlesque Mime）、伊莉沙白時代的啞劇（Dumb Show）、法國的默劇Pantomime等等，都是運用動作這語言，動作象徵它所描繪的情感和思想。這種象徵語言在登峯造極時，代表的是建基於那個年代的形體表達慣例，必須由觀眾自行「詮譯」的一種形體速記密碼，尤其是描述式默劇。對現代觀眾來說，形體語言背後的情感和思想的難以理解，因為這些形體密碼受到多個世紀的禮儀和習俗影響，他們根本沒有頭緒。

學生：那麼您的劇作中沒有傳承德畢侯那類的默劇嗎？

導演：事實上，我們的確曾演出兩段白丑式的默劇，與德畢侯作品的氣氛和技巧十分接近。由於德畢侯與我們的時代相近，而他使用的動作也相對簡單，因此現代觀眾不難接受這類演出。況且，德畢侯式的形體演出可讓演員明白把真實想法和情感融入傳統動作的必要性。然而，這些默劇只是我們致力達到的部份成果：我們真正的工作是凝練一種可以表達人類行為和性格中所有細微之處的默劇藝術。

學生：所有細微之處？我認為默劇是以幽默去評價人類的愚昧和弱點的絕佳方式，但舞蹈在技巧上卻更能表達悲劇。

導演：我慶幸你提到舞蹈。默劇和舞蹈這兩種藝術難以分隔，但作為觀眾和實踐者，當要呈現角色之間的衝突或角色與境況衝突所產生的戲劇性悲劇，我從不覺得舞蹈是最適合的形體模式。動作顯示心理，有時需要十分細緻——只動動眼睛，或扯一下面部肌肉。相比不太需要構建細緻角色性格的舞者，我認為默劇演員會更合適。

學生：您說——演員！

導演：我向你保証，雖然我不再在臺上用我的嗓子，我仍然認為自己是演員。

默劇不是更出色的戲劇藝術，而是完全不同的戲劇藝術。當劇作家要用三幕來揭露丑角的惺惺作態，默劇人可能只需幾個巧妙的動作就能概括這個情節，因為默劇的技巧本質就是簡潔和濃縮。這在悲劇情境下就會更明顯。在自然主義的對白話劇中，主角很可能會

在悲劇的一剎無語問蒼天,在死寂中定格。觀眾可能與演員一同沉浸在這情景中,但演員在這種模式規範下,不會把情景拖長到不符合真實生活的情景長度。默劇人卻不受真實的時或地所限制。舉例說,他可以選擇延長這悲劇的一剎那,並深入表象去發掘角色心中最內在和令角色陷入危機的衝動。當他的默劇節奏愈深入精神的深處時,形體表現亦愈趨純粹和風格化。觀眾看著他最微細的動作,猶如在夢中。演員胸部的一起一伏有了新的重要性。觀眾與他一起呼吸——沉浸其中——共同表達赤裸裸的無言。

俄國的小丑

奧勒·波波夫 Oleg Popov

> 波波夫 (1930–2016) 是世界最有名的小丑之一。他畢業於著名的莫斯科馬戲學校，然後加入馬戲團。他擅長飾演性格小丑 (Character Clown)、走飛索、行鋼線、演出搞笑場景和默劇。下文節錄自《俄國的小丑》(Russian Clown) 一書。

我特別喜歡小丑。當我回顧人生中的某段日子，我肯定在所有馬戲團劇目中，小丑是最閃閃發亮的一項。卓別靈是我的螢幕偶像。在家裡，我模仿資深馬戲團演員柏達松 (Patachon)，又或者學卓別靈那動動停停的步姿。儘管如此，我當時從沒想過馬戲團竟會成為我生命的一部分。

唏喔！我當上卡蘭·特克 (Karan d' Ach) 短篇劇目《雕像》(The Statue) 中的掃地人一角。我在他的間場表演《碟、樽》(Plates, Bottles) 和其他短篇中以搞笑互捶拍檔的身份協助演出。

特克對我特別栽培。在排練與演出的空檔時，他會把獨門絕技傳授給我。一點一滴地，我開始了解小丑藝術的內在精粹，這是學校裡從沒有人提過的。我從特克那裏得到第二次的學習機會，並開始掌握滑稽與最真實的小丑演出之間的重要分別，吸收到片段編排的結構，以及表演者如何出場與退場的祕訣。我深深意識到我正在向特克學藝，他是著名小丑維他利·拉沙力高 (Vitali Lazarenko) 和安勒杜尼·杜魯夫 (Anatoli

Dourov) 的門徒，他們是鬧劇這種古老藝術的表表者。作為這些傳奇人物的繼承人，特克令我對小丑事業添上熱忱。

　　慢慢地，我擺脫了小丑自古以來的隨身裝備：誇張的化粧、可笑的服飾。我創造了一個非常簡單的角色，一個年輕又不起眼的人，正好與馬戲團的其他劇目融合。所有表演者都好像有個共識，要呈現一個當代的年輕人，既浪漫又充滿理想，並且集技巧、力量，膽色與衝勁於一身。我靈機一觸，選擇了最後一項去演釋。以下是一份卡巴羅夫斯基市報紙對我的報導：一個不起眼的年輕人進入表演區。

　　「他戴上一頂簡單的鴨嘴帽，穿著一套平凡的西裝。他向觀眾微笑，猶如見到老朋友，並向他們鞠躬。他的臺詞本身沒有什麼特別，但伴隨這些臺詞是精簡又富表達力的動作，引來了笑聲和鼓掌。他就是年輕的小丑奧勒·波波夫。憑著他樸實的演出、精彩的模仿本領和與其他表演者迥異的戲仿，他很快便贏得觀眾的共鳴。」

　　我在這時期最成功的劇目是《演說家》(The Orator)。通過默劇，我一個字也不說就創造出一個喋喋不休的長氣袋演說家。演說家發表漫長的「演講」，興奮不已，脫下自己的外套和鞋，從一個大水桶中喝水，用一張吸墨紙抹乾嘴唇。當觀眾哄笑時，我用一個手搖鈴指示他們要安靜，絕不會脫離角色。

　　《音樂哨子》(The Musical Whistle) 這個短篇也很有趣。我在一開始聽著一群音樂小丑表演，到接近尾聲時，我是如此投入他們的作品以至自己也嘗試奏起音樂來。我演奏各式各樣的樂器：小號、木管、哨子

我變換身份：牧羊人、環遊世界者、一個作弄人的專家，最後是一個挨罵的學生。這一切都要求極速地完全轉換「角色」。

漸漸地，我意識到自己創造的角色成功與否，繫於我以何種態度去飾演角色。我一直扮演一個簡單、開朗，或者有點心軟和喜歡以歌傳情的小夥子。我嘗試令角色與觀眾有共鳴，並成功達到目的。化粧固然重要，但服裝、鞋子、帽子也是創造角色的基本元素。我好像那些追趕潮流的庸俗男人一樣，會換大衣、鞋和帽，創造不同款式、外型和顏色的配搭。我的服裝一定要極度平實，同時富有表達力。

在尋找最能反映角色的面具[32]時，我漸漸放棄了誇張的化粧——所有隱藏一般人特徵的化粧，即使是小部份也不可以。這當然逃不過外人的眼睛。有人認為我不應放棄那些沒品味又浮誇的化粧、為了逗笑而把天生的面孔畫成另一形狀，或是穿上誇張衣服的風格。他們告訴我：「沒有這些，你就不再是小丑。」他們說：「馬戲班也不再是馬戲班了。」這些觀點也不是沒有理據。小丑的唯一目的是引人發笑，因此其主要部份是用盡方法去達到這目的，無論是戴上鮮紅色的假髮，或是穿著53號鞋。我絕對不接受這種被稱為胡鬧的風格。我的自我表達方式已經是完全不一樣！

默劇所用的語言有時相比日常說話更為優雅。我在首次登場時已經明白，外國觀眾不用傳譯會更容易理解我的演出。只有運用默劇這種國際語言才可成事。當我準備新劇目時，我會以默劇動作令它更有生氣。我放棄純喜劇，即為喜劇而喜劇的那種。我要的是一個穿透平凡人的面角色，進入他的內在，有機地結合自我中心和真實主義。

在1953年，製片人尤裏·奧錫托夫（Youri Ozetov）走遍全國的所有馬戲團，為他的電影《勇者的指環》（The Ring of the Brave）選角。我最終入選去到莫斯科。到了莫斯影業（Mosfilm Studios）的影棚時，我覺得有需要強調自己外表的表達力。我不太滿意自己的第一個鏡頭，於是喊道：「請等一等。」就竄進服裝間。在門後面，在數十頂尖頭軍帽和尼古拉沙皇時期的平頂帶邊草帽中，我找到一頂闊身的黑白帽，好像棋盤的黑白格子。現在大部份的觀眾都熟悉它，就是《勇者的指環》這齣電影令它廣為人知，也令它成為我的馬戲服飾不可分割的一部份。自那時起，它成為我演出的一部份，其存在不只是被動，而是主動的，它猶如一個棋盤、計程車的標誌牌，又或是一支回力棒，我力圖讓「它」飛得像太空船史普尼克號般的精準。馬戲團的設計師安妮·蘇達基域（Anelle Sudakevich）見到這頂帽子，就給我做了一套黑色西裝作配襯。那是一套平凡的西裝，有點像俄式長袍。除了缺乏形態之外，它沒有半點個性，正好襯托出我的簡約衣著。黑色西裝、黑白格子帽（讓視線順延到我稻草色的頭髮）、白恤衫及繫在頸間的絲帶，從此這就成為我演出的打扮。當服裝定下來了，我的角色也得到他的最終造型。

當我首次看到自己的造型，這實在與傳統可笑或恐怖的紅髮漫畫人物毫不相似，那些人物的外貌像自大狂和冒充者。我撫心自問：「我是在扮演什麼角色？」要回答這問題，我必須即時弄清楚另一問題：「小丑的定義是什麼？」幸而我遇上大量機會，讓我得以慢慢揭開這秘密，突破小丑的傳統和掣肘。這一切都令我感到焦慮，我不停思索，但沒有答案。我當時還太年輕，人生中只有我的創作、對專業的熱愛，加上自己的靈感和前輩的意見，方能給予我足夠體驗，以回答這個根本問題及掌握我在做的事的重要性。我將要走過一條漫長又艱辛的路，才可以到達彼岸。

一個優秀的短篇劇目猶如一個人。它出生、成長，然後自然地死亡。

在馬戲團臺上，什麼都可以使用，但要找出適合馬戲團的形式，就是小丑的任務。

形體劇場
亨利·托馬仕修斯基 Henryk Tomaszewski

托馬仕修斯基曾接受傳統戲劇和芭蕾舞訓練，於1955年創立獲羅默劇團（Wroclaw Pantomime）。以下節錄自托馬仕修斯基的著作《默劇劇場》（Mime Theatre）。

形體是對生命的肯定，我把它等同生命，因此它也反映我的生命，它拓闊我的存在，對我的存在給予更廣泛的意義，並濃縮至基本元素，又同時為存在作高層次的定論。正因如此，我推崇形體，並嘗試以形體來建構我的劇場。我們的默劇團提倡以幻象的方式來展現現實的內容，我們的主題來自文學，也來自生活。從這兩者中，我們嘗試提取人道主義的靈感。

默劇中的所有事情都由「當下」（Current）開始。「當下」是什麼意思？「當下」就是我們的結構和心理傾向，從而迫使身體做出一個特定的動作。它好像內在的命令：開始！因此，「當下」是一種身體和心靈的驅動，並以身心的專注和準備就緒的狀態顯露出來。身體準備就緒的其中一個跡象，就是核心肌肉群（Solar Plexus）會收緊，雖然單純的肌肉收緊並不就等於「當下」。

在「當下」發生之前，默劇人是處於一種完全中性的狀態（Neutrality），其表達方式就是「空無」（Nothing）。因此，我們是從「空無」、「寂然無聲」、「空無一物」開始，默劇人的自我定義「在我」（I am）應該是源自此處。我身處宇宙的中心點。萬事萬物像宇宙般圍繞著我。我，默劇人，就

是正中心。「自我」(Self) 可以讓演員邁進下一階段:「從這裡開始!」的命令一旦發出,便會即時行動。這個開始可能是對抗世界,也可能是面對世界。例如在伸手拿東西,或走向某件物件或人物時——默劇人的動機是面向外界時,演員就要達致對外的「當下」。

當行動趨向自己時,由外界靠攏,「內在的當下」就是行動前的狀態。由此來看,默劇人最重要準備就緒:不論是趨向或離開自身。「當下」是一種身心準備就緒的境地,核心肌肉群的位置和狀態 (Set and Disposition) 只是它其中一個外像而已,並非其精粹。正如我在之前提及,精粹本質是兩面性的:同時是心也是身。「當下」的本質就是整理一個默劇人的形體動作,並令他維持一種合適程度的緊繃狀態。

理想的默劇人是個「敏感的運動員」。

我對「劇場」的概念來自我對動作的功能、動作對情感的重要性,以及把動作個人化來奠定角色等的概念。大部份導演會首先分析劇本的文本和角色的心理,再設計演員,甚至整個製作,的形體動作。我卻反行其道,先分析演員在特定情況下需要的形體動作,再看看文本內容。一切以形體動作為開始。

我喜歡劇場中那些極端的情況,或者走入無窮無盡境地的作品。這可能是我渴求一種「循環」或是「圓狀」劇場的原因。我稱之為「圓狀」,因為劇場中的形體動作是精粹,而形體動作是在三維空間和時空中運行,因此需要像球體般的三維空間去實現。人是「球體劇場」的注目點,所有事情在不同層面圍繞著他發生。因此,劇場會環繞著他,他應該不需有所動作,便已經可以感受到動作的發生。

形體是對生命的肯定。我希望在觀眾面前呈現赤裸裸的人性，呈現他隱密的一面，呈現人只為自己而活及代表自己的形體。劇場的功能不應被貶至只是提供答案及解惑。藝術只需以存在來証明它的價值，不需要其他支持或論據。

庫奧的藝術

達利奧·庫奧 Dario Fo

來自義大利的庫奧是演員、導演、劇作家、默劇人、舞者和小丑。他不但撰寫電影劇本，還在電影中粉墨登場、設計自己的戲服、佈景，甚至兼任宣傳。庫奧與妻子法蘭·拿美（Franca Rame）通過二人創立的「社群」（The Commune），將畢生貢獻於「革命劇場」（Revolutionary Theatre）。他們的劇場利用面具、布偶、小丑、默劇、歌曲、舞蹈和翻騰多種元素。下文節錄自《神秘的喜劇》（Mistero Buffo）。

　　在美聚湖岸邊的咖啡館，仍然有四、五位「說書人」在講故事，我在傍晚沒事做就會去聽。他們說些古怪的故事，有點直率、不經雕琢，有點瘋狂。簡單是他們必需的元素。他們說的故事建基於日常生活的簡單，然後把它誇大，然而在這些「荒誕」的故事的底下，卻藏著他們的苦澀，由失望而生的苦澀，以及對正兒八經世界的無情嘲諷。他們只會用第一身自稱，並且以無比嚴肅的態度，講述古怪漁夫如何過於用力拋網，以至要在對岸收網取得漁獲；或是薑船比賽之中，船夫忘記升錨，結果薑船拖著整個小島航行，當然就屈居亞軍了。又或有人賽蝸牛，當蝸牛不幸撞到石頭，主人會基於同情而高尚地決定不吃牠們。又或是在神奇的水底探險中，發現了一個和陸上一樣的世界，而且比起陸上更加乾淨，並且有一位手持彎弓的美女（獵神戴安娜）。當探險者企圖接近並觸摸戴安娜時，旅行者之神莫嘉奈皺了眉頭，貌似警告地挪動著身體，但隨即又嘗試再擺出不受打擾的態度，因為身為塑像，他應該是不動的啊，總之他還是扭轉頭、瞪著眼，或是伸出手臂吧。我以為這些故事都是說書人的自家創作，後來才發現它們其實流傳已久。這一切留在我心中，猶如房子的基石。

我從史特利拉（Giorgio Strehler）[33]那裏學到很多。我能夠目睹他的執導過程，實在幸運。我並非演員之一，因此可以經常跑到樓座，由頭至尾地看完整個執導過程。要寫出真正的政治對白，作者必須對鬥爭有第一身的認識，他一定要走入被佔領的工廠，和廠內的同志討論他們的問題。皮斯卡托（Erwin Piscator, 政治劇場的先導者）真是一個偉大的戲劇工作者，他理解戲劇必須源自最感動人心的事情。

我們的首個小品沒有什麼特別之處。它是大約二十分鐘長的默劇，有舞蹈和默劇，講述黑人的處境，襯以藍調音樂，演員需要驚人的肺活量，因為他們要又跑又跳。這小品主要批判黑人總是被貶低的現實，儘管他們在體育、心智等方面都位列前茅。這是二十三年前的美國種族主義。這訊息是怎樣形成？就是循著一道經歷維托里尼（Vittorini）、中歐前衛派、布萊希特（Brecht）等等的文化洪流。我們是一群政治活躍份子。考德威爾、卡繆、布克特、沙特。我們從法西斯主義的無知中走出來，但是什麼都不懂。我們於是開始閱讀馬克思、列寧、恩格斯。我不眠不休地讀了許多個晚上，然後我們進行討論，大家都傳播著振奮、高亢，甚至焦慮的情緒。

演出技巧有兩種。一種是史坦尼斯拉夫斯基（Stanislavski）學派：「你要進入角色裝扮至你與角色達致共生為止，那種投入程度是要你在結束演出脫下戲服時感到痛苦。」另一學派則說：「不，當你身在角色時，你要以第三身身份去說話，猶如一個人成功拿起一個與自己一般大的木偶，同時「拿」著另一個溜進他內心的木偶一樣。」我們都將這兩種技巧呈現出來。我們跟隨法國和日本派系，引入「形體」（Gesture），不再只是「做動作」（Gestire），而是「創造形體」（Gestuare）。這兩者非常不同，「做動作」的意思是演員做出動作，而「創造形體」則指由內在建構出外在的動

態，每一下移動、每一步都有其含意。如是者，如果我從斜角踏入舞臺，觀眾對我的臺詞應該有某種詮釋；如果我以直線進入，我的臺詞就會有另一種重要意義。

這有什麼效果？演出的精準度，猶如鐘錶般準確。所有細節都在計算之內。即使是即興演出一個場景，我們也會就主題做出多個變化（由於我們自得其樂，笑話連篇，這些即興表演生動可觀，不會死氣沉沉）。就像樂手即興合奏一般，是計算過，並具有精彩絕倫的精確度。

當中還包含極大的政治意味，就是一個從個人立場轉換至群體立場的問題。

我希望作品做到比「境況劇場」更深入，而非創作猶如假人的角色，只跟隨前衛劇場的腔調和節奏，依循人們對現今前衛劇場的理解。在消化前衛和表現主義等概念後，我們要多行一步，就要緊密結合仍然存在於本能反應中的基本民間傳統，當然不是只抄襲其外在形態。

我立志成為為無產階級革命服務的藝術家、身在人民中的人民雜耍家，在社區、工人所佔據的工廠、廣場、市集、學校內，與傳統體制的劇場割裂，並非要改革小資產階級的國度，而是鼓勵勞動階層掌握權力的革命過程成長。我出任《旗幟飄揚的偉大默劇及中小型布偶》(Great Pantomime with Banners and Small and Medium Sized Puppets) 的導演及演員，用上面具、布偶和木偶，內容是關於無產階級的「龍」與小資產階級的「布偶」之間的階級鬥爭。

傻瓜，或稱小丑的怪夢

拉迪斯拉夫·斐歐加 Ladislav Fialka

> 斐歐加和巴露士街劇團 (Theatre on the Balustrade) 演出的典型默劇以芭蕾默劇為主。劇團於1958年成立，以創作現代捷克默劇為己任。由於沒有受到法國的德庫和巴洛影響，他們取材於芭蕾舞、現代舞和德畢侯式的默劇傳統，形成自成一派的默戲 (Mimodrama)。下文出自他們的一份場刊。

> 如今傻子最不受觀迎；
> 因為聰明人都變蠢了，
> 不知怎樣做個明白人，
> 舉動是如此裝腔作調。
>
> 莎士比亞《李爾王》第1場第4幕

　　我從沒寫過這個默劇——如果容許如此稱呼我們這個演出的話。它沒有劇本，也沒有場景。就是直接地演出，所以一切責任純屬本人。我早於兩年多前已經開始籌備。即使是一年前，演員還未理解到自己正在參與一個近乎全新形式的製作。我也長時間不知道這製作會以何種形式面世，或者叫什麼名字。我在那階段根本不在乎這些事。我只知道自己想傳達的一切必須同時帶有統一與鬆散的形式，從而給予一種富啟發性而精準的表現方法及形態。我對古舊悲劇和新穎小丑劇中的狂想、力量和豐富資源作長時間的反思。我很熟悉這兩類劇種的內部結構：它們奇妙地把劇力集中在一個核心問題，猶如果肉包著果核，但又沒有把果核藏起來。反之，在一團活生生、豐滿多汁，卻不能永存的物質的核心，演出

要強調這些形態及色香味。演出本身不會暴露核心，不會撕破其外殼，不會將它作分析，只會把果肉和果核以整體呈現。如果我們碰到核心問題，我們或許會把「核」吐出來，又或者咬破那堅硬的外殼，以品嚐其苦澀的味道和氣味。

悲劇的戲劇性、史詩性和詩意，以及小丑的踢屁股、甩巴掌和搞笑可以比喻為一個不難吃而又有點開胃的果肉。我們享受果肉時不會想到最後留下的果核。然而，我們總是咯著果核，唯一能做的就是把果核棄掉，或是咬破它的外殼。也許我們不必品嚐果核內部的味道，因為我們在生命中已嚐過多次。如果沒有嚐過的話，我們註定會有機會。它的味道永遠都是那樣。

也許因為我早已知道這些，我沒有特別理會那果核。它的存在和本質也維持不變，於是我便把整副心神放在形體的演進和形態的成長；呈現美好又耗人的神話與傳說主題；動態、動作、反覆（Oscillations）和停止的瞬間；時間、色彩及調子；在每個行動前已可預見的空間；環繞我身邊的生物。我嘗試抓住近似中的不同和不同中的近似的秘密。在這一切中，隱藏著某種一致性，一種無所不包、相互連結的節奏。

創作需要耐性，而且為時很長。它命令我把以前學過和做過的拋諸腦後。當我開始時，我正和劇團作世界巡迴演出，做著許多我喜歡卻消耗能量的創作。我終於開始預見圍著果核發展出來的新作形態，迫使我集中精力，之前數百小時的排練、即興、節奏和其他練習、學吹管樂，以及誇張的戲劇和翻騰訓練——全部突然都有了意義，我和合作夥伴開始建構演出。所有飾演亞當、夏娃、小丑、該隱、歐律狄刻、哈姆雷特和其愛人奧菲莉亞的演員耐心地翻了一次又一次筋斗、用笛子吹奏《奧菲斯之歌》

(Orpheus's Song) 和打鼓，重覆同樣的節奏和同樣的動作一百次，並不是為了什麼目的。我們有時覺得自己在做著完全沒有邏輯的事情，但所有人也都知道。這事件隱藏著世上所有事物的邏輯。我們覺得自己活像傻瓜。我把這演出命名為《傻瓜》。我們尋找適合這一切的形式，盡力要求自己有紀律又嚴肅，並追尋令我們日漸趨於甚或吹毛求疵的勇氣。從古舊神話、K先生的事蹟、哈姆雷特王子的決心、真理在興奮翻騰中展現的殘酷智慧，即使不知何時何地會跌倒、蠢材和丑角，我們學到勇氣。經過一年的工作，我們終於建構好這演出——你或許——如果你喜歡——叫它做默劇。

對我們來說，這演出源自一種希望與觀眾一起發掘故事結構核心的渴望，我們對這些故事的演繹建構，只是許多個可能性的其中一種。這種由舞臺與觀眾席之間對話而成就的啟迪，正是我們追求的劇場神粹。

讓我們一同努力達到這種啟迪的方法就是形式，即以藝術建構劇場。我們所以身處演出場景中，理由和你選擇入座成為觀眾一樣。朱亭言簡意亥地表達這理由：「人類既淺白又被迫去理解自己生命的祕密，因此發明了劇場。」

我們一生出來，我們便哭，
因為我們來到這個群丑的臺上。
莎士比亞《李爾王》第4幕第6場

顛倒的世界

基斯特·巴頓 Kuster Beaton[34]

斯提波·杜巴（Ctibor Turba, 1944–）在默劇界一炮而紅。他在1966年加入阿爾弗雷德·雅里劇團（Alfred Jarry Pantomime Company），再於1970年與作家兼導演楊·格圖其菲爾（Jan Kratochvil）合作，演出超現實獨腳戲。杜巴是默劇人、小丑、藝術家和木偶藝人，並於自己旗下亞爾法特馬戲團作演出和巡迴表演。他現時（1970年代中期）主力寫作和執導。下文是巴頓對杜巴的一些照片的評論。

　　我當然看過斯提波·杜巴演出。有人提及他的佈景掛有我的畫像，我便去看。毫無疑問它就在佈景中——一幅大大的海報。我猜他覺得我們二人都在做同樣的事。他是對的。

　　舉個例子，劇目《自殺的精緻藝術》（Suicide as a Fine Art），他準備以電擊來自殺。於是便鋪設一個魯布·戈德堡（Rube Goldberg）式的誇張東西　，把眾多物件連接在一起。最後他坐在兩個熨斗中間來夾著頭顱傳導電流。這場景令我想起我在電影《導航員》的片段，女主角和從未學過烹飪、連蛋也未煮過的我，被困在一艘時髦的蒸汽船上。船上有供烹調數百人膳食的用具，於是我製造一個複雜的滑輪、秤砣和升起裝置等等的機器，用這龐然大物來煮一隻雞蛋。

　　我留意到另一件事，就是我們二人的面部都沒有太多表情，我們實在很少使用面部表情。如是者，所有注意力都會集中在視覺的搞笑位和我們的行為，因為觀眾可以從你的行為知道你在想什麼。有次看到一

121

位教授的評論，說我這種手法迫使觀眾自行猜測發生什麼事，由此得以參與過程。我想是吧，他們好像喜歡這樣。

看來杜巴和我都喜歡專注於物件，不過，方式卻相反。我會找出物件的邏輯：羅馬時期的日晷是用來顯示時間，所以我在手腕戴上一個小日晷就對了。當然，觀眾知道這小日晷不會有用。杜巴呢，他使用的物件常常都是不對的。在劇目《從左方突襲他》(Take Him From the Left)，杜巴起床後穿上衣服。他用上了匪夷所思的道具——為椅腳穿上鞋子，用一本記事簿做鏡子，餘此類推。觀眾也知道這些東西不會有用。你可以說我主要專注於物件的功能，他則專注於物件「不能發揮的功能」，但我們殊途同歸。不過，想一想，其實我也有使用他的方式。在電影《鄰居》(Neighbors) 中，我用掃帚當作結他來向女神輕彈淺唱。我們或許在那方面比較相似吧。

再者，對我們二人來說，那些物件都很重要。在阿爾弗雷德馬戲團，杜巴身邊全是物件，周圍都是——盒子、肥皂泡、梯子、紙張、帽子、汽球、樂器、傢俬，所有你想得出的東西都有。這令我聯想起我在電影《導航員》裡的道具，我在電影《船》(The Boat) 裡整理定期家務的方式，類似我在《鐵路生涯》(The Railroader) 中以手搖鐵路車為家的樣子——我總是用上許多道具。分別在於杜巴的物件全都是亂糟糟的，總以一片凌亂結束。而我呢，我一定要在混亂中建立秩序，所以在結局時一切都會變得井井有條和受到控制。可能我專注的不是邏輯，而是控制。

如果我現在還在拍電影，我就會演出杜巴現於舞臺上所做的那類意念吧。

小丑狄米茲

狄米茲 Dimitri

> 狄米茲是瑞士籍小丑，天才橫溢，而且擁有一身不凡的精湛技藝。他
> 既是小丑音樂家，又是小丑體操家和小丑雜耍人。他起初在馬素的
> 劇團演出，其後開展自己的獨腳戲劇目，並作世界巡迴演出。狄米茲
> 本身也是藝術家和陶藝家，在瑞士開設自己的學校。他在1973年獲頒
> 「確格獎」，以表揚他「把超現實的默劇藝術與喜劇小丑融和一體」。
> 以下文章節錄自《狄米茲照片集》(Dimitri Album)。

　　我確實在年幼時就已經想成為小丑。不過父母和我自己都認為
要有一技謀生，所以我便成為陶藝學徒。我沒有後悔，因為在那個專業學
到很多，現在亦可隨意返回陶藝行業。當然在舞臺上做小丑表演是困難
的，每當人們想起小丑，都直覺地認為他應在馬戲團中。對我來說，許多
巧合令我身在瑞士時，與尼爾馬戲團 (Circus Knie) 扯上關係、並得以完
成當上馬戲團小丑的夢想。

　　由那時直至找到可說是屬於我的個人面具，那與我性格結合或
吻合面容的面具，是另一個故事。我已經演出了十四年的獨腳戲，我在一
開始就擁有個人的面具。白面不是我發明的——白面是傳統——我把它
按自己的特性改裝，你可以從我後期的照片中看到我眼下的標誌逐年變
長。我是否剛巧同步變得更憂鬱呢？不，當然不是。相反地，我覺得這樣
子與我夢中的面孔相似，我以小丑的外觀來代表自己。當我上粧後，會感
到與夢中的面孔更接近，或者更能與觀眾夢中的詩意唱和。毫無疑問，即

使我不化粧，我也可以演出得很好，但是我會為化粧添加某些風格化的東西、某種奇特的意味。

我每日，甚至每夜，都面對小丑這個完整的角色。當早上醒來，我第一件想的事必定是我的小丑工作、小丑的性格、當晚的演出劇目、我的身體狀態、對演出的絕對專注，以及總有改進地方的想法。這成為每天念念不忘的事情——我嘗試改進自己，取悅大眾，呈獻一些藝術性又詩意的東西，做自己和以藝術家的方式表達自己。無論如何，我仍要保持謙卑，緊記著歸根結底人只不過是大世界中的一粒小小的沙粒，總會有其他人比自己更偉大、更有能力，並已經比自己接近目標。

我過去演出的都是簡短片段，一晚的節目或許會有八至十個片段。我的節目現在由兩個劇目組成，每節大約四十五分鐘。在演出中，我一定會有即場獲取靈感的即興演出空間，觀眾席也不時會發生意料不到的事。我會在劇中多次與觀眾直接互動。我會拿起某位女士的手袋，指責她偷了我的乒乓球，因此每晚都會產生不一樣的場面。我讓觀眾融入節目。我時常會看著他們，又或者做些模仿動作，又或者請他們上臺轉我的碟子。

透過一些陶藝朋友的介紹，我在巴黎認識了馬素。他立即收我為學生，當他意識到他的劇團可以用得著我，便邀請我加入。我們立即開始排練兩個默劇劇目。對我來說，和馬素一起工作的日子必定是我學習生涯中最重要的時期，因為作為一個老師、一個人和一位朋友，他對我的影響不少。與他演出150場後，我和馬素的工作關係完結。另一位小丑邁斯（Louise Maisse）在巴黎的練習室看過我操練，邀請我成為他的彩面小丑夥伴（Auguste）——恰恰就在確格逝世那天。這個巧合困擾了我很久，

不過亦可能引領我走上快樂之路。我從邁斯身上學習了許多。他是一個偉大的小丑，特別演白面小丑，與彩面小丑互為夥伴，他也曾是確格的夥伴。

我的孩子首次以真正演員身份粉墨登場的一個劇目，是關於汽車的喜劇。他們又做翻騰動作又演奏樂器。劇情是我們駕車來到場地，想停下來，玩玩音樂輕鬆一下。小民爾扮演的馬戲團班主想趕我們走，說我們不能在此停車，會打擾馬戲團的演出程序。於是，我們回到車上，但每當他離去時，我們又會下車，如此類推，最後他說：「好啦，你們可以玩幾分鐘，跟著給我離開。」只是當我們要走的時候，引擎卻不能發動，我用盡方法開車，愈搞愈緊張，弄出一大堆事情，直至最後汽車成功開動駛走——但是我們卻還未上車。

在另一個劇目，我企圖抓住鎂光燈的光。不過，我又可憐它，讓它從帳幕頂的一個洞逃跑。尖筒狀光團的意念是我在所有馬戲團演出的重覆主題。

我肯定的是，除非一個劇目已曾與觀眾接觸，否則它不會變得成熟。因此我從不會在劇目剛剛創作完畢時就拍攝紀錄。給它一年時間，它一定會變得更好，因為我已經演得純熟，劇目也經打磨而更見精煉。我認為一個劇目永不會停止進步，我持續不斷地改進它。我不休止地改動、打磨，棄掉，又加上另一些部份。很多觀眾在一年後重看，都會以為那是新刊的劇目。這就像一個孩子的成長。

面具、默劇和瑞士默劇團

瑞士默劇團 Mummenschanz

> 瑞士默劇團是由兩位瑞士人安德歷‧布薩（Andres Bossard）和貝尼‧上殊（Bernie Schurch）和一位意大利人科莉安娜‧法西圖（Floriana Frassetto）組成。他們獨樹一幟的演出全是面具劇。自1972年起，他們便以此模式作世界巡演。他們的演出啟發了許多默劇人去試驗面具。在1977年3月，瑞士默劇團在紐約百老匯開始演出，創下超過兩年（直至執筆日）的連演紀錄，這是在百老匯的默劇劇目中前所未見。下文是《默劇期刊》中的一篇文章。

貝尼：我早已演過古典默劇，即白面默劇，其實白面也是一種面具。我多年來對它已感興趣，不過真正投入還是由樂寇工作室開始。

安德歷：我們認為，現在必須摒棄一切，只尋找我們的立足點、我們的精粹在哪。於是我們過了六個月與世隔絕的生活，離開本國，不聽收音機，不看報紙——或許看一些書——不看電影，不看電視，什麼都不做，完全只有我們三個人。就是那一刻，初始的一刻，我們感到一些完全屬於自己的東西從內裡浮現出來，不受任何事物或任何人的影響。我常常覺得年輕藝人會犯下一個大錯誤，他不清楚要做什麼，會四處尋找，會模仿他人。做到放棄一切，不去跟隨時代的感覺或潮流需要勇氣…首先要掌握資訊，明白四周發生著什麼事，然後就必須站遠一些，鼓起勇氣走自己的路。

抽象化。我想就是藝術的抽象法則。你不會以思想來創作；起初出現的作品是十分生活化的。然後要刪、刪、刪，直至初始的格律呈現出來。當討論即興創作出來的東西，我們會去除所有故事性的元素，讓觀眾可以理解它。那樣它就是一齣由「我們」創作，但是每個人都可以用自己的生命去填滿、把自己投放進去的戲劇。對我來說，這就是藝術的定義，並非重現，而是尋找的狀態——例如非洲民族部落面具一樣。你永遠不會找到一個「長頸鹿面具」——那面具的名字是「長頸鹿之魂面具」。他們不會重現那動物，而是呈現它的狀態，即是長頸鹿的靈魂。

臉孔，是的，它是人類最重要的特徵，但這並非完全真確。它很會騙人，我們常常能夠用面孔騙人。可是我們不能用身體去騙人，因此當我們接觸別人時應多加留意（他們的）身體，那我們便會知道更多，說話更是比面具還要厲害。看看政治。看看電視，政客在發表談話時只用上他們的面孔。他們理應站起來說話，如果那樣做就會太棒了！他們的身體會告訴我們一切！他們不會再有本事藏在面具後面。

貝尼：如果我們可以把隱藏本來面目的本領轉移到身體，那就完美了，我指在演出時。我們只須轉移一下，把我們用於面上和談吐的本領推到身體層面。

安德歷：有些人看了我們的演出，就會衝動地想：「嘩！我也想造面具！」但是面具其實有一種非常深入的層次，我曾經體驗過。當演員時，你習慣有自己的面孔、身體、自我可以呈現在臺上。當你戴上面具…即使是我們，在首次演出時也會說：「好吧，面具，或者有

兩、三幕不用面具。」慢慢的，我們習慣整個演出都遮蓋在面具下。有時你會真的覺得自己好像是一件不重要的物件，像個布偶，於是你的自我…但那是錯誤的，因為你會逐漸看到另一個角度，你會更接近觀眾，你感到自己會更開放，更能展示自己。可是這不是每個人都接受得到的一杯茶。

科莉安娜：其實這一切源於我們對方塊主義（Cubism）的研究。我們可說是在發掘它們可以組成的不同形狀，然後觀眾開始告訴我們，這是兩個小小的頭，或兩輛汽車，他們喜歡看它們接吻。很多時人們看到的和我們看見的恰恰相反，令這種對話十分有趣。

安德歷：舉個例子，用正方體的那一幕，對觀眾來說，這可以只是一個遊戲，又或是一場討論，又或是思想上的一次交流。有人從中看到精神治療的殘酷，因為腦細胞被取出來又放回一些替代品；別的人看見金錢，看見擁有的物質。

貝尼：它是思想的遊戲。正方體，它們代表思想。

禪默劇

米山曼舞子 Mamako Yoneyama

米山曼舞子，又名「默劇人Mamako」，是一位在劇場、電影和電視演出的日本女士，也經常教授默劇。她的部份劇目是把法式默劇短篇機智地運用於日式生活中。最近 (1970年代) 她開展了一種特別的默劇形式，名為「禪默劇」(Zen Mime)。她的代表作是把禪宗修行比喻為「十牛圖」(The Ten Bulls) 的演繹。下文取自她的場刊及劇評。

身為日本人，我把「默劇」與「禪」連在一起。「禪」的精粹在於教人體會佛陀體驗到的「空」。「默劇」作為靜默的藝術，與「禪」的方向相似。

俳句是由禪產生的其中一種藝術形式。創作俳句所需的精神狀態和默劇一樣。俳句是一種只有三個句子的詩。在簡短的陳述中，人生的所有現象都會以最導引性、最有存在主義和最精要的方式表達出來。這寥寥數字投入寂靜的池塘中，激起短暫的漣漪，又重歸寂靜[35]。

文字與寂靜的互相交流。這就是俳句，這就是默劇。我認為默劇就是移動中的俳句。當動作愈來愈精鍊，它漸漸進入「空」，又或者「禪」一樣的狀態。默劇是多麼「幽玄」[36]的藝術啊！

世界已經被噪音和塑膠污染。我愛默劇，正如我愛清澈的河流、幽靜的森林和深沉的池塘一樣。

默劇的靈魂正是這個安靜的自然，它不容污染！

我這四十分鐘長的劇目《尋牛記》（The Search for the Bull）源自禪宗教義「十牛圖」，利用人嘗試捕捉和馴服牛的象徵，展現禪的修行過程，即畢生追尋覺悟的過程。

　　故事中的牛代表尋找真我。在我還年輕時，日本社會不容許女性獨立，女性在現實生活中要實現個人目標十分困難，而且社會環境也太混亂，不利於藝術家的成長。二戰過後，日本忽然成為集體宣講的受害者。我離開日本往美國遊歷。我看見創造大量新作的自由，有時我又看到無所事事、佔有慾和環境崩壞的自由。對於那裡的人如此直率，我感到難以理解。在日本，個體的渴望藏在許多習俗與修辭中，當我這個外國人身陷美國的「感覺大曠野」，作為一個孤獨的人類，就必須與自身對愛的渴望、佔有慾、權力情意結、自我提升的慾望、情慾等對抗。

　　美國正是我覺悟自己缺點和軟弱的最佳地方。在自然的生命中，力量與鬱結互相掙扎，最後成了「憤怒的公牛」，而憤怒公牛逐漸演變成開悟公牛的過程，就是我和許多人對心理治療／個人成長的希望。

　　一個女人尋找開悟卻不斷失敗的傷痛，正正反映在她像小丑般的行徑上。「十牛圖」是我的畢生作品。若我每年對自己的理解有所成長，也會向觀眾呈現嶄新的編排。

真甜蜜啊...
樂天‧葛素拉 Lotte Goslar

> 原籍捷克的葛素拉在1939年由德國來到美國後,曾在音樂劇、劇場、演奏廳舞臺、電視、在紐約及國際巡演中演出她的喜劇默劇和搞笑舞蹈。葛素拉領導她所創立的默劇馬戲團,成員是一群不尋常的舞者暨小丑。下文是葛素拉特別為此書而寫的一篇文章。

真甜蜜啊——演出成功、掌聲、好評——朋友到後臺探班,說你的狀態是前所未有的巔峯——陌生人說:「為什麼你不早些出現在我的生命裡?」即使你完全知道這一切不可能如此美好,但也是多麼的甜蜜...

我最成功的一次是在芝加哥。這是我與偉大演員佐治‧霍斯歌域(George Voskovic)和同為難民的珍‧費力(Jan Werich)於一個特別為捷克同胞而設的特別節目演出。我多年前曾在布拉格那極棒的解放劇院跳過舞,現在又和他們一起,在那特別的晚上,獻上一些獨舞片段。我剛跳完第一隻舞,是一隻短短的開幕舞,就聽到從沒聽過的龐大喝采聲。不是三次喝采,不是五次,是最少十五次!那時我會按角色性格來行謝幕式,但喝采太多,我很快就用盡謝幕的想象力。由於射燈直照向我,我什麼都看不見,看不見觀眾,最後我盡量走到臺邊去看看這群了不起的觀眾。我只看到全部人都已經站起來,背朝著我。

真相是:愛德華‧貝奈斯,捷克的流亡總統,他們的大英雄,來到劇院,並正站在樓座。所有喝采都是為他而爆發!而我——就按角色性

格——向所有人的屁股鞠躬！只有貝奈斯一人見到我鬧出的笑話。我希望只有他看到。

我也欣然回想起在阿姆斯特丹的首演。在忙碌的演出中有三個小男孩不斷來到後臺，纏著我們索取簽名。我們當然樂意從命，雖然假裝有點煩，因為即使他們是小屁孩，他們也是新一代、未來的觀眾，正在為我們打氣，直至我們發現同一批小孩來回後臺多次，我們最後發現真相：他們向街上的人兜售我們的簽名，五毛錢一個！

為了讓成功延續下去，我們可以拼命到哪種程度呢？唔，在意大利，有位瘋狂的劇場經理宣傳我們是「荷李活的芭蕾舞」，結果每個劇院前的廣場都擠滿苦候數小時來看美艷明星的小夥子。我隨便請團中一位年輕貌美的舞者先下車，扮作是我，我提著行李箱跟在後面，好像她的服裝師。策略成功。大群人對她發出讚嘆的叫聲。

這一種成功又如何？我們在荷蘭上電視，覺得結果差勁至極。第二天早上，我在加發街走過，對面馬路有個男人叫過來：「我昨晚見到你上電視，哇！」我說：「噢，我覺得很差勁。」他說：「對！」

被人抄襲應該算是最高的讚賞吧。在瑞士，有個年輕人四處表演我的節目，卻從不提及我的名字。我覺得他有點過份，便在與他見面時告訴他。他不能理解我為何不快。他說：「樂天，我是共產主義者。群眾需要你的作品，我把他們需要的東西帶給他們。你這樣會令他們得不到所需的。」他的確有點道理！

我最喜歡的「成功故事」於多年前發生在紐約,當時我的生活尤其不如意,沒有工作、沒有經理人,沒有學生,更沒有錢。不過我一如既往,總算找到一個可以當工作室的地方居住,我至少還可以跳舞。那幢建築物頗為殘舊,升降機好像快要失靈,控制員是個滿面皺紋的男人。在一個最討厭、又冷又下雨的日子,他駕著升降機送我上三樓的寓所。升降梯極慢極慢地向一樓進發時,他那細小的眼睛看了我很久,然後他說:「呃,葛素拉小姐,你不美。」這真是我在這種灰暗早晨最需要的「鼓勵」。我說:「唔,我知道。」靜默。在一樓與二樓之間他又慢慢、深深的看了我一眼。「你甚至不算討好。」我回答:「你真會在傷口上撒鹽。」他替我開啓三樓的升降機門。當我沿著門廊走,又冷、又垂頭喪氣,我聽到他大喊:「但你有天份!」我叫這做成功,你會嗎?

另一類似但更輕柔的回憶,是我多年前在紐約附近接下一場夏季演出的工作。那是一個集合多名紐約藝術家的綜合表演,我們都在首演前幾天到達,所以有時間讓我們彼此熟絡。眾人之中有一位年輕鋼琴家,是保羅·狄柏(Paul Draper)的伴奏者,明顯喜歡我。我們一起散步,他偶然會為我曼妙地演奏他的表演曲目。他常常以羞怯又溫暖的眼神望著我。可惜此情不再。演出的日子來臨。我站在幕側準備出場。我的劇目叫《老小丑》(Old Clown)。我完全改變自己的容貌以表達角色:身體用一個巨大得離譜的馬鈴薯袋完全遮蓋,手腳藏在超大碼的鞋子和手套裡,假髮蓋住我的真髮,鼻上套著大大的紅鼻子,化粧品掩蓋我每一吋的皮膚,完全本看不到我的原貌,只有一個老邁的小丑,東西塞到渾身都是。那年輕人就站在我身旁,我感覺到他那溫暖又羞怯的目光,他對著我的巨型膠耳朵輕聲呢喃:「你真可愛。」

媒體中的默劇

狄克‧凡篤 Dick Van Dyke

> 凡篤最為人認識的是其電視喜劇演員身份：他既是演員又是默劇人、搞笑藝人和自我中心的舞者。在展開二十八年的電視事業前，他曾在夜總會演出默劇。他也在自己的電視節目中介紹洛杉磯默劇團（L.A. Mime Company）。下文是他特別為此書而寫。

萊路的喜劇深深影響我投身演藝事業的決定。他的影響塑造了我對喜劇的取向及態度。

有一次，我在自己首個電視連播節目中扮演萊路。我費盡心思務求所有配套都正確：衣著等一切一切。演出完結後，我打電話給萊路問他的意見。他說：「小狄，做得很好，不過…」接著他列出我做得不好的連串事項——足足講了四十分鐘。他在那次通話說了我畢生也學不完的演藝生涯知識。

我喜歡玩形體的搞笑，類似螢幕上卓別靈、基頓、萊路與哈地那種——這是我喜歡的喜劇形式。我怎樣說也是看他們的電影長大。在少年時代，我有許多個星期六全日都是用來看他們的電影。

時至今日，電視令綜藝表演再難以自由發揮創意，他們通常想用公式化、安全的方法取悅觀眾。他們覺得表演要有不同的東西，最好各適其適，這就是人口結構特性。我不同意這套概念。我很清楚在看電視時，

就是要看我想看的。現在當我想看田徑比賽，就得先看完一場賽馬。我是個田徑迷，我從高中就喜歡田徑，如果我能成為奧運評論員就好了。

我在夜總會表演的默劇劇目叫《快活的沉默者》（The Merry Mutes）。那全是滑稽劇、跌倒和形體喜劇。我很高興有機會在電視上再來一遍。我們嘗試為《凡篤與老友》（Van Dyke and Company）這電視節目建立一個固定的劇團——一群合作無間的人，但這樣的劇團需要時間去磨合，而時間正是電視這媒體不會給你的。結果，收視率甚低，《凡篤與老友》也在第十一集之後就被停播。

我喜歡做處境劇，只是它們沒有機會讓我強調形體喜劇的部分。有許多人根本不曉得我會做默劇和搞笑舞蹈。在新一輪的電視節目裡，我特別想演默劇，於是我起用了洛杉磯默劇團。評論人對此大為讚賞，稱他們不落俗套、清新又富創意。每次觀眾投票，默劇都名列榜首。

能做到一個好的演出令我感覺良好，收視率高低對我沒有影響。當你年輕時，收視率的壓力可以令你十分煩躁。

但現在我少了那擔憂，並更加享受演出。

美國默劇

保羅‧J‧寇蒂斯 Paul J. Curtis

> 寇蒂斯在1952年創立美國的第一個默劇團「美國默劇劇場」(The American Mime Theatre)。寇蒂斯在紐約的劇團學校發展出一套嚴謹而個人化的風格，糅合他本身演員及舞蹈背景的元素。1973年，寇蒂斯發起跨國界的默劇專業平台「國際默劇與啞劇人組織」(International Mimes and Pantomimists)。下文是他特別為此書而寫。

　　我希望創造一種糅合演戲和動作的戲劇性表演，以產生更有含意的劇場體驗，這種演目慢慢形成一種與法國默劇不一樣的藝術。美國默劇就是演戲、形體、默劇、設計和編劇這多種藝術的一個平衡點。它是一種全面的劇場媒介，沒有其他我所知的默劇形式與它相同。這代表它擁有一套完整的美學規則和局限，管轄著由演出至文本所有方面，保証其美學產品有著統一性。

　　我們的媒介，意指文本，其主要目的是探索人類的內在世界。我們創造出由行為符號所組成的默劇。這些行為在敘事層面上必須合乎邏輯，但又能夠清晰傳達符號背後的重要意義。我們演出的內容是精神層面中不可勝數的形式和面貌。我們演出的目的是從觀眾的思想與感情中牽引出直接的靈性反應。我們會因應創作時令我們頻密關注的個人及群體議題，和參照已有的劇目，去選擇每個劇目的題材。

每次演出會有五至七個劇目，每個劇目代表美國默劇劇本的不同部份。演員穿著黑色緊身衣，出現在圍成鍋底般的白布幕前。我們永不會使用佈景。只有在小量情況下，當有明顯戲劇效果需要時，我們才會使用面具、服裝、道具和零碎佈景裝置。我們嘗試使用比其外表更有複雜意味的道具，以創造簡約乾淨的外觀。我們只採用小量音樂，聲響由演員吐出的抽象聲音至電子樂譜都有。很久很久才會有演出特別地使用一個字。我們不用白面。

美國默劇劇場有「嚴肅的精彩演出」的美譽，反映了劇團的藝術成就，這評語的大意可解釋為「我們的演出一般來說沒有大部份專業劇團那麼差勁，我們相信自己所做的，並且有財政困難。」此刻，身為美國默劇劇場的演員，是一種承擔，恍如十七世紀的意大利苦行僧。劇場的存在，並非是它的名氣或群眾心理上需要劇場這產物，而是成員們的內在需要，或是衝動，去做這樣的演出來體現創作的生活。我們力行此道，以此為我們的生活方式。我們矢志把一種卓越的創造成果演化出來，並將這媒介推廣到全世界。

意大利即興喜劇和演員

卡盧·馬素尼—金文泰 Carlo Mazzone-Clementi

> 馬素尼—金文泰 (1920–2000) 最初於其出生地意大利演出，再到法國，然後在1957年來到美國。他曾與馬素、樂寇和其他著名藝術家合作，以默劇人、演員及意大利即興喜劇藝人（專演特立獨行的女僕角色碧姬爾娜）。1971年，他在加州開設迪藝默劇及喜劇學院 (The Dell' Arte School of Mime and Comedy)，教授意大利即興喜劇、默劇和喜劇。下文節錄自《戲劇評論》(The Drama Review)。

　　雖然我們可以憑歷史推斷意大利即興喜劇的模樣，卻不能真正知道它是什麼樣子。沒有文本傳世，沒有照片，只有一些圖畫，不多的描述，和大量未經翻譯的場景。然而，大家對意大利即興喜劇的興趣方興未艾。任何人都可以開啟名為「意大利即興喜劇」的抽屜，但一旦開啟，又怎知道如何從中選擇呢？對某些人來說，意大利即興喜劇就是從積塵中重現典型角色卡洛的姿態及架式。照片中的他們看來挺有魅力，但上到舞臺卻一敗塗地。意大利即興喜劇的吸引力，在我而言，應該是在於重新發現表演者的魔力，如何成功吸引觀眾，是什麼致使成功，以至在某程度上，他為何有意識或無意識地如此做。推論是唯一可能的方法。我們要從身處的時空開始尋覓答案。

　　我們在二十世紀要如何開展意大利即興喜劇的研究？我的第一個切入點就是默劇。兩位法國藝術家：馬素及樂寇深深影響我的研究。我在年青時曾追隨他們二人。通過他們——以及曾有段短暫時期獲獎學金在巴洛的學校學習——我首次接觸默劇。我有幸與馬素在意大利巡迴

演出，和他的創作力互動。在哲學、玄秘層面、詩意上，他都是我的推動者。然而，樂寇那絕佳而富系統性的自然方法，在實踐層面肯定了我的直覺——默劇將會是我於未來所有舞臺作品的基礎，而且它可為我開啟了解意大利即興喜劇的多種方法。馬素和樂寇都沉迷意大利即興喜劇。我目睹他們對這劇種的熱誠，其後又在巴洛的學校接觸更多熱衷意大利即興喜劇的法國人，令我首次湧起對自己國家和文化的身份認同感。從法國人的身上，我發現何為意大利人，從他們的白面默劇，我看到意大利即興喜劇的延續，經典角色畢特諾林奴（Pedrolino，即白丑Pierrot）和史卡拉莫殊（Scaramouche）的承傳。正如法國劇場曾經從意大利即興喜劇汲取創作靈感，我也從樂寇的教導汲取元素，並應用我的意大利即興喜劇作品。

創造角色必須由最基本開始：身體。有些人對自己的身體並不感到自在。我們必須找出這意味何事。因此，我的作品的主要重點在於自我身體的再發現。巴洛在他的著作《劇場反思》(Reflections on the Theatre) 中，形容演員是不斷處於「由…到…」的過程當中。「如何」是角色。由身處之地開始，即是真正知道自己身處何地，實實在在的理解，而非（至少在現時來說）讓想像遨翔，只探索哲學性的存在主義，或甚至是回憶起某些情感來避免與現實接觸！

「由…到…」最簡單的行為就是「跑」。我們從跑開始。跑步是原始的身體行為，它令血液循環，心臟變得活躍，肺部得以運動，把多餘的東西從腦中趕走。這個動作行為由足部與地面的接觸主導——吸氣、呼氣、轉身、罷腿、流汗，並跟著帶頭人跑。你跑得差勁嗎？你自然會在持續動作中發現答案。你的身體反應遲緩嗎？對它作思考不會有幫助，動態的反應只能由動作而來。動態的反應並非靠蠻力，相反地，困難的動作必須舉重若輕。

我們在討論意大利即興喜劇或我在此的方向／意味時，不能不同時討論默劇與默片。卓別靈、基頓、森尼特、勞埃德、蘭登、德雷斯勒、菲爾茲能夠把任何材料用在他們的創作上。「你講一句，我接下去」是一個劇本的提綱。無論是什麼材料，真正的喜劇大師都能掌握！

古往今來，每個人都曾以意大利即興喜劇來體現自己的目標，從公開宣稱「I take my best where I can find it」（我遇上即隨手拈來）的莫里哀 (Moliere)[37]，到莎士比亞、布萊希特 (Brecht)，以至我們這時代的街頭政治劇場。我不會假裝自己已經重新發現文藝復興時期的意大利即興喜劇。其實，這樣的重現對我來說，實屬一種膚淺及充滿限制的呈現方式。它實在的精神是誠實不欺、不加掩飾地指出人類的軟弱及可笑之處。我們需要劇中的演員精於洞察、富有創意、胸懷廣闊和互相團結。在一個瘋狂的世界，有誰比怪雞的人有更多話要說？是的，威尼斯人有句諺語：「不瘋的人我們不想要。」意大利即興喜劇不是一種戲劇形式那麼簡單，而是一種生活方式。

愚蠢的代價

安東寧・浩迪 Antonin Hodek

> 浩迪是居於洛杉磯的捷克裔默劇人，他也是兒童故事作家、詩人、教師和劇作家。他最近從馬戲角色彩面小丑演變出小丑角色奧古斯。下文來自他的演出場刊。

我們今天身處這個被人操弄的世界，恐怕只有藝術才可以給予我們生活下去的信念、希望及力量。現場演出特別能立時彰顯人與人之間的溫暖關係。

> 我死之時　　我的小丑啊
>
> 懇請你　　置我軀於
>
> 橡膠樹下　　一頂大大的黑黑的高帽之中
>
> 讓稻草人　　我那滿是補釘的白丑
>
> 為我奏起　　他的藍調
>
> 他最憂傷的藍調。

我們生活在一個愚蠢的世界，除非想變瘋，否則我們都得成為蠢材。

「因為在每個好的小丑裡，我們都可以找到自己的一部份，我們最隱秘、最純潔的期盼和渴求的那部份。這正是我們見到好小丑會發笑的理由。然而，與此同時，我們心裡又充滿悲傷，甚至淚盈於睫。最後我們也分不清自己是笑還是哭，很可能我們同時在做這兩件事吧。當看著一

個好小丑時，畫家有繪畫的衝動，愛酒的人想來一杯，小偷會良心發現，並發誓不再順手牽羊，而他們都想過有點不同的生活。當一個好小丑演出時，觀眾會感受到一種內在的純真。這世上有太多胡鬧藝人，太少小丑，真是可惜…(奇洛斯基 Kludsky)[38]」

有次我在洛杉磯為當地的小朋友演出。他們從未看過默劇，默劇一詞對他們是如此陌生，如此充滿異國風情，猶如我小時候覺得「巴拿馬」一詞好像帶著香料味道一般的奇特。那些小朋友用黑色紙做了一幅三碼長的橫額，在上面貼上三個穿條子上衣的彩色人物，並在上面用藍色大字寫著：

「默劇Pantomime(發音近似巴拿馬Panama)是一個中間有條運河的國家。」

朋友，這句話可真夠你回味又回味。

朋友，這境象輕柔地喚醒想像力，溫柔如我們在清晨喚醒一位初相識的美麗少女，帶著神所創造的原來模樣——酣睡著、微笑著，充滿可能性。

在這樣閃爍的清晨時分，我們通常會未經思索地定下終身。為此我們必須付出代價——愚蠢的代價。

默劇：自我選擇的靜默

撒姆爾·亞維圖 Samuel Avital

> 亞維圖（1932–）生於北非摩洛哥，並於1971年在美國科羅拉多州創立「靜默中心」默劇學校（Le Centre du Silence）。亞維圖以其卡巴拉（Kabbalah）信徒的角度來處理默劇。下文節錄自《動態》（The Movement）的一篇文章。

投入默劇的最初準備工夫，是以練習及體驗去認識人類的身體。我們有些練習可以幫助學生達到應有的思想狀態及接受教誨的態度，亦即是，學生必須先學會如何學習。

我定立的標準是一個默劇人必須先以十分全面和持之以恆的鍛鍊去轉化他的思考方式。在我們置身的文化中，我們學習以文字思考。默劇人必須要用動作、視野、影像，非直線地思考，這個過程必須用上所有時間去探索。只有充份掌握這種思考方式，默劇人才可以開始分析的工夫，之後才用即興去擴展創作範疇。我們的鍛鍊之一，是每星期禁語一天，讓它逐漸成為習慣，以此穿透靜默的境界。然後，我們會以動作去塑造這靜默，並給予它多維的真實感。

我帶著東方思維接觸默劇，這有助我清晰了解西方思維。由於自幼接受以靈性出發的培育，我不論做事或思考都有一種靈性的自覺。身為表演者、默劇人及導師，我有許多渠道把這種靈性的自覺帶給與我結緣的學生。我們都希望在藝術上更進一步，達致極致的境界，訣竅就是喚醒學生的真實靈性，但毋須依附任何規條。當學生在過程中發現自我，這

就是真實。只有紀律性的鍛鍊才能令人意識到屬於內裡的存在。這種進展會帶領和協助學生由平平無奇中提升自己，不單是藝術方面，也同時是其人生。對我來說，默劇是一種「存在」和「成為」的方式。默劇不只是藝術，而是一種生活方式，同時亦需要形而上及形體的自覺。它是生命力的延展，引導各種能量形成存在的交響曲。默劇並非不用言語的演技而已，它是把意識擴大至超越敏感度／感性、時間和空間。在舞臺上，它以藝術技巧傳遞這種擴展的能力，呈現人類在這個亂紛紛世界中的處境。

貝納德·伯爾格和國家聾人劇團

海倫·浦華士 Helen Powers

> 伯爾格(Bernard Bragg, 1928–2018)已在默劇界縱橫十年，首先在夜總會表演，然後有了自己的電視節目《沉默的男人》。他是國家聾人劇團(National Theatre of the Deaf)的創團成員，而且有十年之久為團中當紅演員。伯爾格也有寫詩和出版詩集。下文選自《靜默的標誌》(Signs of Silence)一書。

貝納德自幼就已經愛上舞臺。他很快就從看過的電影中學會模仿卓別靈、梅·蕙絲(Mae West)和陳查禮這些荷里活大明星。他很快地便發現這是他與聽不到的世界溝通的其中一個方法。

在1948年秋天，貝納德回到高納德(Gallaudet)[39]上大學一年級，他對舞臺的熱愛更見明顯。他選修所有能上的戲劇課，並主修英國文學。他在《吝嗇鬼》(The Miser)、《貴人迷》(The Merchant Gentleman)和《偽君子》(Tartuffe)三套莫里哀名劇當上主角。於畢業那年，他得到機會執導約翰·高爾斯華綏(John Galsworthy)[40]所著的《逃亡》(Escape)。無論是貝納德本人或旁人，都不會懷疑：他是屬於舞臺的。

貝納德在觀賞傳奇的馬素演出時，故意坐在後排較高的位子，以觀察觀眾對一整晚不作聲的演出有何反應。大燈熄滅。在深色呢絨帷幕上出現一個圓圓的探射燈光影，懸疑的一刻。然後帷幕升起，馬素現身臺上。貝納德著迷了。當他看到觀眾對這個只用動作、靜默無聲的人目不轉

睛的反應，貝納德顯得更加激動。這就是靜默的語言，不需言辭的溝通。他一定要找馬素談談。

貝納德原以傳統服飾及白面演出默劇。這種裝扮令他的身份得以昇華至「世界人」（Universal Man）[41]。他希望自己以觀眾本身的主要生命象徵去接觸他們，不受演員本體的干擾。當他自信演出能達致這種世界性時，他扔掉面譜和服飾，單憑演技延續其演出振聾發聵的力量。

他的獨腳戲包羅萬有，每個劇目都全情投入，易如反掌地一人分飾多個角色。一個例子是關於首次登陸月球的人，他在月球的沙地上豎起美國國旗，正準備將月球納入美國國土，豈料蘇聯人已捷足先登。這在1958年當然是極其當時得令的題材。他自創的劇目題材廣泛，包括《精神科專家與病人》（Psychiatrist and Patient）、《法國、英國、意大利和美國的吃醋太座》（Jealous Wives—French, English, Italian, and American），以及《體育用品店裡的順手牽羊君》（Shoplifter in a Sporting Goods Store）。他最精彩的演出部份，也是默劇世界中的創新，就是即興演出。他會即場收集觀眾的建議，並演釋出來。

默劇人首要是做人生的學生。由於貝納德不能聽見聲音而得到觀察別人的機會，令他先拔頭籌。不論在公車或排隊買戲票時，他都極其留意四周的面部表情和動作，再以他藝術性的精煉方法攝要出來。他的特性並非因為失聰而仍然做到，而是來自他這個「缺憾」。

國家聾人劇團的創團靈感始於一群高納德學院的演員在康涅迪格州沃特福德鎮的尤金·奧尼爾紀念劇場（Eugene O'Neill Memorial Theatre）演出《伊菲革涅亞在奧利斯》（Iphigenia in Aulis）。劇團的首次

會議獲NBC電視臺於1967年3月錄製成特備節目。劇團把手語變成一齣手部芭蕾舞,使之在舞臺上發揮視覺魅力,令語言增添多一重層面。這個手語劇場版將文字或概念通過手部默劇表達,再無需手指串字。為舞臺而編排的手語默劇是用思想互譯來反映文字互譯。打手語時的態度,以及伴隨的面部表情和身體動作顯示出細節、氛圍和改動。當運用得宜又充分掌握技藝時,手語無論在舞臺上下,都是與口語一般靈活的形體語言。劇場其中的一個作用,就是向觀眾展示手語的邏輯美,以及減少對與沉默伴隨一生的人的誤解與誤判。

很快地,觀眾不再看見手語「符號」,而是強化語聲與動作的優美手指,見到會說話的手和以韻律強調含意的身體。觀眾完全失去了「聲」的概念,欣然沉浸在這種新穎且富動感的藝術形式中。為了保持劇本的純粹,也為了溝通得清晰一些,有個說書人會在演員的手語演出時同步讀出文本,其時間是如此精準吻合,聽到文本的觀眾已不復留意說書人的存在。這種支援性的說書完全不會掩蓋演員本身發出的強大情感衝擊。

在沃特福德鎮的訓練中,身體動作和演技訓練各佔一半。來自紐約的積克·塞度導演(Jack Sydow)負責教授演技。他的課堂與一般無異,並著重於情感投入和角色流露的形體(Instinctive Blocking),失聰演員必須在所有時間都讓觀眾及其他演員看到雙手。他不能像非失聰演員般背向觀眾(或臺上的同伴)去「唸」臺詞。除了課堂講授,學員亦會參與不同劇本的分場團體演出,然後「聽」取評語、批判及指導。

與演技課緊密連繫的是由貝納德和艾力·馬斯乾(Eric Malz-kuhn)主持的手語默劇課。手語默劇給予聲音前所未有的視覺維度。它

亦去除手指串字，因為失聰的觀眾在劇場中很難看得清或讀到串字。對於在日常生活可能用到手指串字的一些詞語，他們會創作新的描述手勢符號。失聰演員的雙手相等於非失聰演員的聲音，訓練亦是遵從這原則。在臺上要提高聲線，聽起來才覺得正常；手部動作在臺上也要誇張，看起來才正常。

手語默劇課的另一環節是創作。學員在課堂演出場景時，必須調整手語以反映文字的意思。導師並不鼓勵手指串字。如果有字沒有相應手語，就會創作新的手語符號來代替。當然這些創作必須要在手語規範之內，以免失聰的觀眾不明所以。

默劇中的技法

R·G·戴維斯 R. G. Davis

> 戴維斯於1959年在加州開設被他稱為「三藩市最古老的默劇學院」。他在1962年創立的「三藩市默劇團」(San Francisco Mime Troupe) 率先探索在公園做流動演出，表演意大利即興喜劇及富爭議性的政治文宣。戴維斯亦是《三藩市默劇團：最初十年》(San Francisco Mime Troupe: The First Ten Years) 一書的作者。下文是他特別為本書而寫的。

　　自三十年代起，史坦尼斯拉夫斯基系統成為大部份文字劇場的主要演技方法（下文稱為「技法 The Method」）。「技法」得到美式精神病學的和應，所謂美式精神病學就是以情感內涵、「真實反應」，以及戲劇上的至誠無昧改變演員專注技巧的要點。當強調演出的戲劇性及心理元素，眼淚、汗水、悶哼和不掩飾的情感便會蓋過視覺效果、形體及設計。當然就此有很多爭拗，但爭拗的背景是建基於史坦尼斯拉夫斯基對重現情感和在臺上做出富想像力的創作。理論上，史坦尼斯拉夫斯基系統（內在動機Internal Motivation）可應用於演出的各方面。然而，企圖把形體和「技法」整合，會衍生許多問題。現代舞對音樂劇有明顯的影響，可是除了重啟演員對形體的認知外，卻未能深化其技巧。舞者與演員在應對演出問題的取向並不能互相契合。啞劇也是如此。馬素令啞劇在本地受人注目，它看似絕佳的「感官記憶」，可填平形體與演員之間的鴻溝。不過在深入研究後，就會發現它的技巧也是屬於外在的東西。

形體中的「技法」，簡單地說，是內在的源頭推動外在的形體，其產物既不是現代舞或現代舞的任何變種，也非啞劇及其影像。概括地說，現代舞與默劇（Mime）相對獨立。「默劇Mime」與「啞劇Pantomime」二詞雖則被當成同義詞，以描述由白面小品，以至沒有道具的即興演出之間的所有形式。事實上，「默劇」與「啞劇」並非只是學術上的分野，反之，一種是與史坦尼斯拉夫斯基演技技法脗合，從同類的分析方法衍生出來的，而另一種則不是。

在《中世紀的法國戲劇》（Medieval French Drama）一書中，姬莉絲·法蘭（Grace Frank）闡釋「默劇」及「啞劇」不同的出處：「古字『Mimus默劇』包含甚廣，由即興胡鬧的作弄把戲到嚴肅一些，甚至可能有文字記錄（至少是部份記錄）的喜劇都有。『啞劇Pantomime』主要是有歌唱和樂器為伴的獨腳戲…」比她更早期的亞拉迪斯·力高（Allardyce Nicoll）在著作《面具、默劇及奇蹟》（Masks, Mimes and Miracles）中提到，「古希臘的多利安默劇是一種非詠隊式的戲劇（Non-choral Drama），鬧劇中出現穿得誇張古怪的公式人物（Stock Figure），大部份都戴著象徵雄風的假陽具，並演出現實生活中的片段和出神話中的胡鬧故事，大部份的對白都可能是臨場自由發揮。有兩位演出者的作品展現了默劇與啞劇在當代文化的差別。馬素基本上是個啞劇人Pantomimist。卓別靈是個默劇人（Mime）。

馬素處理的是「什麼也沒有」——總是虛構的門、氣球或雪糕筒，以反向平衡（Counter-balance）和肌肉運用來表達物件的重量及質感。在《必必去旅行》（Bip Goes Traveling），馬素會運用技巧在舞臺的負面空間（Negative Expanse of Stage）創造出一個正面範疇（Positive Area）。卓別靈用的是實實在在的東西——帽子、花朵、手杖、摺床——在戲劇性

的關聯中將它們轉化成為符號。在他手中，一件道具並不限於其外型，還要加上「卓別靈的道具」的戲劇性潛力。一件可塑性高的物件，例如一支手杖，可以成為壘球棍、桌球棍、修甲銼或是一把劍。在《凌晨一點》(One O' Clock)，那神奇的摺床成為了所有惡意對抗的形象。故事每一次都從那件真實的道具開始及結束——在《淘金熱》(Gold Rush) 中的「麵包之舞」或是《摩登時代》(Modern Times) 中的把手　，都是把很真實和實在的東西作創意變換，象徵性地運用於抽象和言志式的內涵中。

馬素很少越過啞劇走到默劇的領域。在《必必與蝴蝶》(Bip and the Butterfly)，他首先以頭部的輕顫及飛翔般的節奏表達像飛蛾般的東西，這是啞劇。當他伸手觸碰牠，一種不同的理論和新規範出現了。那蝴蝶不是他手中的一件虛擬物，它是他的，他的手是真實的，是一件可以接受功能關係的道具。《青春、成熟、老邁與死亡》一劇基本上是他不斷原地踏步，也是一齣默劇。身體成為一件與戲劇時間發生關係的事物，抽象地描繪生命。

關於默劇其中一個迫切議題，就是它成為了一件沒有目的的商品，其發展一直不起眼——一些為少數人而製造的商業作品——很有可能成為一種旨在強身健體、遠離人群、淨化心靈、延年益壽的整全系統。把默劇變成一種與劇場分離的藝術形式——沒有被融入劇場的元素——只會使它成為一種傾向其啞劇方面，而非默劇方面——的孤獨藝術形式。

追溯現代默劇的根源——源自德庫的創作和研究——我們看到兩條路：並非如我上文所指的馬素與卓別靈之路，而是馬素與巴洛之路。

馬素以獨腳戲演員身份發展，而巴洛則成為劇團導演、演員兼監製。通過把與德庫共同創作的默劇融入戲劇生命，巴洛在劇場中找到自我。

如果我們仔細研讀德庫的訪談和著作，甚至邀請曾與他並肩研究數年的人來幫助我們了解這些著作——我們會發現德庫討論的是默劇理論，演的是啞劇方式。由同一個課室發展出兩條意義迴異的道路：獨腳戲的馬素和戲劇的巴洛，足證這矛盾之處。

兩者的比較

The Pantomimist 啞劇人
- 比較接近舞蹈
- 通常有面具* 及不作聲
- 隨音樂而動

處理：
- 「什麼都沒有」
- 需要告訴觀眾正在使用什麼道具
- 說故事

吸引觀眾：
- 觀眾猜測
- 「他那裡有什麼呢？」

The Mime 默劇人
- 比較接近戲劇
- 可以說話及唱歌
- 隨演而動

運用：
- 實物道具
- 主動牽引出及利用道具的符號象徵
- 評論故事

刺激觀眾：
- 觀眾思考
- 「他的那些東西，是什麼意思呢？」

*白面或類似化粧也是面具的一種

我多年來的創作，由現代舞、默劇、自然派劇場（Naturalistic Theatre）、意大利即興喜劇（的形式來演出激進劇場Radical Theatre），到布萊希特的史詩劇場（Epic Theatre），對我了解啞劇與默劇的分別有極大幫助。

我們需要分析闡明德庫（及保羅‧寇蒂斯）的默劇概念，以及布萊希特的形體演技（Gestic Acting, "Gestus"）之間的相似性。表面上，史詩劇場並沒有把啞劇的標誌性幻象融入其中。這個元素反而在維奧娜‧史寶琳（Viola Spolin）帶領的即興創作中出現（史寶琳稱自己的啞劇為「空間物件」!）在這裡，「即興劇場」是由整體劇場中抽取一小部份生成的。有人描述「即興」就像一個女人（和她的追求者）被鬼附身，要盡快把吐到舌尖的說話說出來打發時間一樣。

我們需要更好地釐清劇場概念之間的關聯和偏差。我將會出版兩本書，一本關於意大利即興喜劇，另一本是關於史詩劇場如何敘事，並會在書中討論這個議題。

街頭默劇

積克·芬查 Jack Fincher

羅拔·雪斯 (Robert Shields) 在1971年於三藩市聯合廣場與路人一同創作他的街頭默劇。他和拍擋羅莉妮·約尼 (Lorene Yarnell) 後來在一個默劇形式的公開婚禮儀式結為夫婦。這對夫妻檔在音樂會、夜總會獻藝，並於1976年起一起現身電視節目。下文來自《星期六回顧》(Saturday Review)。

陽光普照的聯合廣場，在城市的混凝土大海中的一個小島，滿是綠油油的草坪和修剪過的花圃。戴著硬帽的紳士吃著三文治，嬉皮士帶著愛犬，穿迷你裙的辦公室女郎手捧盛著乳酪的紙杯，在仍滿佈露水的草地上懶懶地坐臥。廣場下方，　高高的棕櫚枝灑下薄薄又清涼的樹影。就在寬闊的行人路旁，一列矮牆下，一群在市德頓街出沒的常客開始聚攏，等待中午的演出，好像一群吱吱叫的麻雀。

他來了！閃耀的白面出現在街上，頭髮是典型的大蓬鬆孖辮紅髮，眼和嘴用油彩畫出典型默劇小丑角色哈樂昆般的裂縫。他穿上軍樂領班的制服，帶領著想像的樂隊步操，如E·B·韋特 (E.B. White) 描述：「團團轉又旋轉又四處飛吻」，對象是周圍高樓大廈中向他開心揮手的女孩子。

我進入狀態了：萬事萬物都不過是個笑話，
整個宇宙都是。人人都這麼嚴肅，我卻說，
人生是場大慶祝！哈哈哈！

他在行人路中央彈跳,沿著路面滑行「奔跑」來回,以一個完整的360度翻身,在兩個十分魁梧的單車手前面雙腳著地。

他們的態度總是「看看這個娘娘腔。」因此我
要使出絕招,證明我是個體操運動員。

三個生意人走近,羅拔用格魯喬·馬克思(Groucho Marx)的標誌「雞仔大步」追上與他們同行。他那蓬鬆的頭髮在他們的腰際古怪地浮移著,扮作一位秘書在不存在的打字機上打字,用從腳上脫下的鞋子當作電話,發狂地打出一個「極為重要的電話」,生意人矜持地向對方微笑,嘗試不理會他。他覺察到一名老婦蹣跚步過,飛撲到她面前五體投地。

老人家在公園流連,等待死神降臨的一天,
我想我在幫助他們。

他跳起來,和她一樣用不確定、與世隔絕的蹣跚步伐並肩而行。圍觀的人竊竊私語。

如果我表現得有點殘忍,我會覺得他們在
說:「喂,老友,這樣做,不好!」

突然他變成一隻熱情的紅鸛,腳跟劃過路面,他的臀部挨著她的,眼神熾熱地望著她。只是幾步路,碰著,試一下便放手,跟著,她那看似冰封的老面孔融化,開心地咧嘴而笑。

> 如果我覺得她和藹可親，我會立即走到她的
> 身旁。她看起來拒人千里，但事實上那是一
> 副面具——像我一樣。

他擁抱她，在街角以卓別靈式的憂傷忍痛放她離去。可憐的白丑啊。

痛失了心，白丑變成機械人。定定的眼睛眨也不眨，面孔猶如瓷器般沒有溫度，他四處滑動，做出相連的對稱小圖案，雙臂抽砍著，猶如失控的槓桿，手腕精準地微微轉動，頭顱上下左右擺動，像盒中小丑玩具。

> 我會做一點機械人把戲去改變氣氛節奏。
> 這種機械人表演比街頭默劇更為風格化。

一個小女孩被嚇著了，步步後退，怎樣哄也不回來。在樓梯頂上，機緣巧合地同時出現一個滿面鬍子的嬉皮士和一個沉靜嚴謹的行政人員。羅拔閃電般出現。他吸一口幻象的大麻，假裝要把煙傳給嬉皮士。

> 我用大麻的意象，因為它是今時今日的象
> 徵。你明白的。你有膽量試嗎？

嬉皮士嚴肅地假裝吸了一口，轉身想讓嚴謹的行政人員也吸一口，然後改變主意，把「大麻煙」還給雪斯。雪斯縱身一躍，跳過行人路，落在艾蓮·芳妮（Eileen Von）胖胖的懷中。她邊笑邊尖叫，幫他把手上的

「大麻」拍掉，緊緊地抱著他，向全世界聲稱她永不會放他走。她身旁的牙籤人先生看來相當同意。

　　　　這些人是我的道具，我知道可以依靠他們。

　　羅拔終於以主教般莊重的尊嚴站起來。他向艾蓮和牙籤人先生灑聖水，宣佈他們結為夫婦。

　　一隻冷靜的黑貓正在不懷好意地看著。羅拔跑向牠，在空中劃出一個同樣充滿敵對能量的姿態，黑貓意識到被嘲弄，冷冷地盯著羅拔，那種眼神真是令人由內冷出來。雪斯跳開，躲到人群後面，用受傷的眼神回敬。

　　　　我嘗試展示牠的模樣，但我失敗了。有時，
　　　　如果對方抗拒，你可以伸出手輕輕地向他
　　　　說：「聽著，我並無惡意，只是在工作而已。」

　　黑貓仍然不退讓，以蹲坐不動的形態對抗這粗暴的挑釁。但羅拔和觀眾不再理會牠了。羅拔已經發現一對璧人，偷走女孩，取悅她，失去她，哀悼過，再重拾勇氣——女孩的男伴一直被一隻手指的動作引開注意力，根本不清楚發生了什麼事。雪斯然後向一位微笑著的華人頻頻鞠躬，結果屁股挨了一腳。觀眾哄笑。年輕的華人轉身離去，感覺良好。

　　　　無論如何，這其實是他們的演出，人們的演
　　　　出。

羅拔對一隻狗發出威脅的「叫聲」——哇，十分嚇人！——最後他以左手用看不見的小提琴神速地奏上一曲，作為終結，順勢請觀眾打賞，硬幣如雨灑下。他坐下來，抹抹眉毛，筋疲力盡。他身高五呎七吋，重一百三十磅的身軀如此拚搏了兩小時。為什麼？或者他已為我們提供答案。

沒有隔閡，沒有高牆，沒有鋪天蓋地的宣傳，沒有荷里活的光環。

它可能是我一生中做過的最美的事。它是最純粹的劇場。

以下節錄自雪斯所著的《街頭默劇》（Mime in the Streets）：

那是一種改變心情的過程；塗上白面猶如進入魔幻世界。在化粧的時候，我覺得自己也在改變。當我完成化粧，我的動作不同了，思想不同了，演出當然也不同了。白面讓你造出普通面孔不容許的魔幻。

我了解面具。當初開始演默劇時，我隱藏在面具後，無論演出成功或失敗，通通由面具承擔。我如今不再害怕人群，就算沒有白面，我也可以演出成功，因此，我了解面具。在聯合廣場，我看見跟我一樣塗上大量化粧品的女士，那是面具的一種形式。我見到沒有表情、冷酷、僵硬的面孔，不敢笑也不敢哭，那是另一種形式。因此我戴上面具，看看我可以對他們的面具做些什麼。

在聯合廣場演出時，我十分留意人們的感覺。起初我不是這樣的，但我學得很快。我模仿他們，讓他們知道人家是如何看他們。人們常

常來到我的面前，感謝我展示一些他們不察覺的不當行為，讓他們得以戒掉陋習。這些人都已經很久沒人關注，他們都已變得面無表情、僵硬如石。當我遇上這些人，我會嘗試展示他們的優點，讓他們見到自己受到人群稱讚和欣賞。我只不過是當一面鏡子*。

*最後一段來自《滾石》雜誌於1972年6月8日的專訪。

譯後記

翻譯這數十篇文章時，我就好像坐在咖啡廳，聽著一個又一個偉大的形體藝術家口沫橫飛地訴說他們的經歷和感覺，並且將自己與同行比較、批評一般劇評人的無知，以及解釋自己的意念。由於這不是正兒八經的傳世之作，他們的口吻相當生活化，也不經意和慷慨地分享一些成功秘訣。在輕描淡寫的背後，仍可瞥見藝人的辛酸。這些智慧珠璣處處，而且是實戰經驗。看似年代久遠，實則對每位想成功運用身體語言的表演者來說，是無價的寶藏；對想了解藝術家是如何鍊成的人，是多角度的切入點。

以本書最後一篇《街頭默劇》為例。看完作者對雪斯的一次街頭表演作出深入描述，讀者恐怕會像羅拔完成兩小時演出一樣，感到筋疲力盡。藝人為了一次街頭即興表演付出的，觀眾得到的，豈是區區一滿帽子的硬幣能反映？文中穿插於描述中的內心獨白，是一個純真卻又老練的小丑心靈，的確，以自己的形體，以反照生活中一個個被扭曲而枯乾在面具下的心靈的美好之處，又有什麼事會比這更純粹更美好呢？他信手拈來，觀眾、路人或一件死物，都可以成為演出的轉捩點。這些繪影繪聲的描述，反映出即興表演藝術與觀眾交流的極致境界。

我選擇在本書加入二維碼，主因是現時互聯網和舊片翻新的科技十分發達，與其只看一兩張發黃的黑白照，持手機掃二維碼更便利讀者即時看到文字描述的相應影像。個別的，如獲諾貝爾文學獎提名的默劇人科萊特，你甚至可以細讀她的文學作品。

默劇，本來就是屬於平民的。多個世紀以來，它沒有在王公貴冑的偏廳內取悅貴人，反而是在最少的佈景下，以最廣闊的可能性力爭觀眾的共鳴。

沒有語言的主導（包括一般的語言和抽象化了「藝術語言」，例如舞蹈），形體可以直擊人心，不談大道理，卻可如馬素在寥寥數分鐘的《青春、成熟、老邁與死亡》般，在原地呈現整個人生，令人低迴不已。這，就是默劇。

附錄一

香港默劇的昨天、今天
霍達昭

一　默劇之源：傳統，現代，後現代

　　默劇（Mime、Pantomime）是啞劇嗎？是無中生有的模擬幻象劇嗎？是動作誇張的小丑的雜耍鬧劇嗎？是呆若木雞的機械人式演出抑或是充滿動感的形體劇場（Physical Theatre）？以上所說都包含在默劇的表演元素中。默劇發展了二千多年，到今天還在變化。要清楚說明什麼是默劇很難，但又有一條明顯的源流脈絡可以追尋和結連。

　　默劇的英文「Mime」，原意是模仿，而另一詞「Pantomime」是以做手模仿表達的意思。若Mime等於模仿表達，那類似默劇的表現形式應推到人類在未有語言之前以動作溝通示意為始，當然這種形體示意沒有戲劇元素，所以一般認為默劇始於古希臘劇場。

（一）傳統默劇

　　古希臘劇場的默劇形式與今天有很多不同之處，當時默劇藝人主要是以形體動作配合歌唱隊，介紹演出內容。今天有些默劇藝人還在溯本追源，在演出中加入一些古希臘劇場元素，特別是面具默劇。除了劇場形式外，在古希臘的慶典活動或私人宴會上也會請來一些默劇藝人表演，默劇藝人除了以形體模仿動物、聲音，又或以日常生活趣事娛賓外，更加入雜耍、魔術、樂器演奏等表演。

同時，默劇在市集更受普羅大眾喜歡，簡單的一張布幕背景，一套簡單服裝，在嘈吵叫賣中連聲音也免了（「默」不是啞，是靜默的意思）。戴上有性格的面具、或者配合誇張的形體動作或豐富的面部表情，模仿或即興編演生活中的悲喜，默劇的定位從此確定了。他們在演出後也接受群眾打賞，所以今天人們提起街頭表演便想到默劇，其實縱觀今天有街頭表演的地方，純默劇的表演卻很難找到（那些人體雕塑不算默劇，連入流也談不上），相對而言，香港的街頭默劇表演則可算世界之最（最多，但那是十多年前的事了）。

當羅馬取代希臘的西方文明地位後，默劇依然繼承古希臘劇場傳統，但那時的劇場演出色情與暴力泛濫，因而惹怒羅馬帝國的皇帝埃拉加巴盧斯（Heliogabalus），與此同時，宗教正邁進狂熱時代（黑暗時期），劇場活動被禁制或取消，幸而默劇因沒有特定劇本、班底、一切從簡和流動力強等特質而避過此劫。十世紀宗教約束放寬，劇場也漸次解禁，一些以道德為主題的戲劇出現，也有一些劇場利用默劇的嬉笑手法重新出現。

到了十六世紀，默劇又一次脫胎更新，一種講求形體誇張的即興喜劇（Commedia dell' Arte）在意大利流行起來，並像流水般流向法國、英國。十九世紀初（約1811年），一位波希米亞的流浪雜耍人杜布拉（Jean Gaspard Deburau）[42] 來到法國賣藝，他以一張精巧白臉、憂傷神情和那寬闊潔白的服裝，以永恆的尋覓者形象，創造了小丑Pierrot角色，由此建立了一套默劇標準和默劇小丑（與馬戲班小丑有別）形象，這套默劇標準深深影響後來的默劇巨匠馬素（Marcel Marceau）。而默劇小丑形象也成為今日很多默劇藝人的模範。

(二)現代默劇

馬素師從被譽為「現代默劇之父」的德庫（Etienne Decroux），後者受現代主義思潮和包浩斯（Bauhaus）設計風格影響，擺脫傳統默劇的說故事形式，建立以純形體運動探索形體的內在與外在空間結構、形體與動力關係的形體默劇（Mime Corporel），其理論與演出形式影響之大，幾乎是所有默劇學習者必須知道的，且更影響到現代舞和形體舞/劇。

默劇進入二十世紀，出現四位極具影響力的默劇大師。除1930年代德庫的純探索結構形體默劇外，還有一位比較低調和少人知道的巴洛（Jean-Louis Barrault），他是開啟默劇劇場（Mime Theatre）和形體劇場的先鋒；1950年代後，樂寇（Jacques Lecoq）開創以小丑和面具探索內心感覺的默劇，瑞士默劇團Mummenschanz便是此類默劇最具代表性的演出團體；馬素則把默劇搬上百老匯而為世人矚目，很多人因看過他的演出而愛上默劇。

(三)後現代默劇

後現代默劇於何時出現和如何定義，真不容易說清，或許反現代就是後現代；若簡潔規律可視為現代，那隨心多欲便是後現代吧。放眼今天的默劇，只要想得出、做得到便可稱為「後現代」，唱歌、跳舞、唸誦、雜耍、魔術、宴會廳、嘉年華會......時光像流回到古希臘市集。

1989年當我有幸到紐約跟後現代默劇家布朗（Tony Brown）和馬高尼斯（Kari Margolis）習藝時，已感到後現代默劇不是人人都可以似

到和了解，尤其是因為財力所限。「傳統」、「現代」、「當代」、「後現代」，只是一個名詞，事實上，什麼主義、派別，都是在事情發生後由一些人歸類定名而已。對於各種藝術，我以為了解和認識其產生的時代背景以及表現形式是必須的，但把自我套牢在某種形式之中或沉溺在潮流的追逐，只會像隨波飄萍般迷失。默劇藝術也應如此。

二　默劇西來東去：背景、交流，越界探索

一方水土養一方人，也產生一方的藝術特色，這一方特色也因與他方交互碰撞而產生新的火花。默劇源於歐洲，在古希臘劇場之前已沾染了很多北非舞蹈和祭祀色彩；延伸至羅馬帝國、意大利、法國，又吸納了很濃的拉丁熱鬧活潑特點；默劇在英國帶有很多像煙霧般的黑色幽默內容，在德國又帶有日以曼的深刻冷峻思考味道。

十九世紀初當蒸汽船出現以後，西方除了加速向東方掠奪財富外，也隨著艦隊把宗教和文化向東方傳播。東方也在列強船堅炮利的衝擊下急著向西方文明學習，日本在明治維新的新思維鼓動下向西方派遣留學生，與此同時也輸出日本式的東方文化。西方受日本文化影響之一是二十世紀初法國繪畫圈中的「野獸派」(Fauvism)，它明顯受色彩斑爛的日本和服影響。而現代默劇也從日本能劇的簡潔形體和歌舞伎節奏中汲取營養。

今日是互聯網時代，要了解東方、西方或其他地域的文化藝術動態，只需手指一動便知曉一切。像日本「舞踏」，是一種反映日本人對死亡的無奈和恐懼，卻以歡愉、絕望、扭曲，配以傳統能劇的緩慢移動和誇張

形體、吶喊發洩心中壓抑的當代表演。這種表演對西方舞壇有很大影響，西方默劇也受此感染。

香港「藝穗默劇實驗室」於1987年成立之初，便強調將默劇東方化、本地化。首先以中國戲曲（京、粵劇）作為越界核心，再參考其他地方劇種（如越劇、豫劇、陝西秦腔等）、原生態民歌和舞蹈（雲、貴、西藏等）。其次是了解西方默劇對東方表演藝術（如日本能劇、印度舞、印尼舞等）如何吸養。

傳統中國戲曲在形式上與默劇非常接近，簡約舞臺如一桌兩椅就可以轉換成不同空間，又有模擬做手的開關門窗、騎馬、撐船等，只是不知如何融合和怎樣越界。我們曾與戲曲界人士交流，但覺得他們有太強的自尊心，常說中國戲曲非一般，要掌握唱、唸、做、打功夫非十年不行，要越界並不可能。越界確有一定難度，雖然總是碰上軟釘子，但辦法總會有的。

1987年由藝穗會主辦的默舞劇《浮生六記》，便是一次以中國為背景的默劇與舞蹈交融的嘗試。該劇以清代作家沈復作品《浮生六記》為腳本，配以簡約中國式舞臺佈置和服裝，邀請澳洲現代舞編舞家曾啟泰先生編排，芭蕾舞蹈家陳令智小姐和我一起以默劇和芭蕾舞形式混合演出。這默舞劇曾應邀赴澳門、臺北和悉尼公演。

由我創辦的藝穗默劇實驗室鼓勵成員參加京、粵劇工作坊，學習戲曲形態、做手、節奏等基本功。排演時鼓勵以中國民間傳奇、小說、神話如《西遊記》、《后羿射日》、《周處除三害》等為藍本，針對本地時弊作為表

演內容，以借古諷今。服裝方面，也鼓勵少穿橫紋或間條汗衣的標準默劇服裝，嘗試以中國服飾展現地方特色。

默劇東方化是孤獨和艱辛的歷程，幸好除了默劇實驗室的成員熱衷投入外，也得到藝穗會全力支持和英國文化協會贊助，邀得英國兩位了解東方文化的默劇家格拉斯（David Glass）和莉妮（Peta Lily）來港，為藝穗默劇實驗室主持工作坊和排演，曾公開演出便有探索東方人對祖宗及生死思考的默劇《咱們的故事》，以及以魯迅小說為藍本剖析人的內心世界的《狂人日記》。

三　香港默劇的起與落

（一）1970年後的默劇印像

本地默劇在1973年之前如何發展起來，我們不大清楚。我在1969年開始接觸藝術，隨徐榕生老師學習西方現代繪畫，祇因一次偶然碰上默劇（約1973年），便被它變化多端，無定式中又像有一定的規律所吸引，看得愈多愈覺得這門藝術神奇，以後凡有默劇來港演出，必是座上客。

我在觀看默劇時發現一個現象，即使全院爆滿（那時多在香港大會堂劇院演出），入座的華人總是小貓三兩。這也難怪，若我不是搞西方現代藝術，對默劇這怪東西，可能也會拒諸門外。當時，繪畫是我藝術追尋的媒體，默劇則止於觀賞而已，但每見這門獨特藝術受冷待時真不是味道，總期望有本地表演藝術工作者能參與和推廣默劇。

香港默劇曾有兩次開花的機會，印象中約在1979或1980年。香港演藝學院前導師林立三先生在外國學成歸來，開辦默劇工作坊，可惜很快便停辦了；另一次是香港話劇團邀請一位德國默劇家給團員開辦默劇工作坊，更有結業實驗演出，可惜兩次都是曇花一現。

個人經驗是，默劇的形體表達給我在繪畫及雕塑方面常帶來新啟發，又因感覺到本地戲劇的形體表達比較單調木訥，而直覺聯想到默劇的演出形式對表演藝術或有幫助，於是我在1982年一個朋友的話劇演出的中場休息時，毛遂自薦演出十五分鐘自以為是的默劇；同年也為香港電台《鏗鏘集》在中環遮打道行人專區拍攝一段連自己也不知是對是錯的街頭默劇，對香港默劇「貢獻」僅此而已，事實我對表演藝術真的一竅不通。

（二）香港默劇的成長

藝穗節、藝穗會與香港默劇成長是分不開的。1983年第一屆藝穗節便有一隊名為「Impromime」的本地默劇團參加，成員由居港英人布魯（George Beau）、秀（Sheila Self）和他們的朋友組成。我在1984年參加藝穗節，於遮打公園和愉景灣演出自學默劇。當時並非出於主動意願而參加演出，只因參加畫展項目額滿而誤打誤撞加入表演名單。

香港默劇第一個高潮是在1985年的藝穗節，當時來了一隊充滿活力和幽默感的英國默劇二人組合「Nickelodeon」，他們的表演除了成為那年藝穗節的藝墟焦點外，在藝穗會的室內小劇場演出也場場爆滿，他倆的默劇工作坊，造就了香港默劇熱潮，當時活躍的默劇團體和愛好者有「默片時代」、林延康、莫倩如、許志成、以及到今天還是藝穗默劇

實驗室領導人的李然貴等，那時藝穗會小劇場更成為香港默劇的苗圃。Nickelodeon在節後離港，默劇熱潮又回歸平淡，繼續從事默劇活動的只有我和李然貴的「三人默劇團」。

1985年，在藝穗會和英國文化協會協助下，我到倫敦狄士文．鍾士默劇學校（Desmond Jones School of Mime）正式學習默劇，1986年英國文化協會更贊助我的老師鍾士（Desmond Jones）來港指導我排演一個長達二十分鐘，以京劇《陳姑追舟》為概念，有關香港從漁村時代到中英談判的默劇《言寓香江》，同時排演還有另一個長達半小時的雙人長篇默劇《天地玄黃》，參演者是剛在法國賈克・樂寇默劇學校（École Internationale de Théâtre Jacques Lecoq）完成兩年默劇課程的鄭碧儀小姐。默劇多是短篇，一般約三至五分鐘為一個故事，刻意要求排演長篇默劇，是希望在老師親自指導下，讓我實際體驗長篇默劇的難度，並補充在默劇學校所學之不足。如前所述，藝穗會更常與英國文化協會合作，邀請英國默劇家來港為藝穗默劇實驗室開辦多方面認識默劇（如編、導等）的工作坊，對本地默劇發展作出重要貢獻。

（三）藝穗默劇實驗室的成立

要認識默劇有一定難度，除了有關默劇的書籍和可參考的資料亟少外，默劇藝人和團體也不多（即使在歐美等國也是一樣），所以要在香港推展默劇有一定的難度，要把默劇這門冷門藝術在香港實現從零到普及，便需要一個或多個唐吉訶德（非現實的執著者）。

1986年下半年，我出任香港中文大學校外課程「默劇初階」的導師，由於課程受到歡迎，接著增加了「默劇進階」課程。香港默劇能有一定

發展，中文大學校外課程給予的培訓機會至為重要，事實上，香港的默劇工作者幾乎全是來自中大校外課程和1990年後的香港藝術中心默劇課程。但默劇班一般都是短期課程，若要再深入了解和學習，必須將課程伸延、深化，讓學員有機會實踐所學，還要有一個長遠計劃和訓練場地，藝穗默劇實驗室便因勢利導而成立了。藝穗默劇實驗室由藝穗會的創會人及藝術總監謝俊興先生主催，由我策劃和領導，是藝穗會駐會藝團之一。

參加藝穗默劇實驗室，必須對默劇抱有熱誠和積極參與，除學習一般基本默劇技巧，探索如何把默劇本地化、東方化外，在觀念上要嘗試與當代默劇同步（以倫敦國際默劇節為指標）。我們參與了各式各樣的演出，如每年的藝穗節、政府的戶內戶外活動如藝術節、藝術嘉年華、新文娛中心場地試用、慈善機構活動、商業機構推廣、宴會娛賓等；即使場地是在衛生條件較差的公廁旁或炎夏中午的球場，只要有演出機會，藝穗默劇實驗室成員都會全力演出，除了希望體驗和實驗在不同環境下演出默劇外，更重要的是將默劇介紹予普羅大眾認識。藝穗默劇實驗室從1987年起直至1992年我移居海外，有近三百場次的演出紀錄。

四　默劇曙光：從沉寂到希望，播種和育苗

《默曙螢流》是我在　1992年移居澳洲前，最後一次與藝穗默劇實驗室合作演出的默劇。

經過藝穗默劇實驗室多年努力，默劇可說在香港已站穩陣腳，人們已接受白臉、摸牆、拉繩等基本形式的默劇。1992年香港默劇可以說是處於第二個高峰時期，我也以優才—默劇藝術家身份移居澳洲。移民前我預感默劇這冷門表演藝術，會因香港日趨功利的環境而有可能慢慢

衰落，只有寄望藝穗默劇實驗室的成員，若有一天默劇不幸重入黑暗，他們要能像螢火蟲一樣以弱光堅持，這門稀有的表演藝術才能重現曙光，所以在離港前最後一次與藝穗默劇實驗室合作的演出用上《默曙螢流》這標題。

　　九七回歸後，社會經濟出現大動蕩，默劇工作因現實環境而減少演出，藝穗默劇實驗室的成員面對惡劣的生活環境仍苦力支撐。到2005年，香港默劇活動已變得十分疲弱，但藝穗默劇實驗室的領導人李然貴、孫國富、鄺偉泉三位仍堅持帶領藝穗默劇實驗室邁向2007年的二十週年；那年我以《愚公移山》為題再跟他們合作演出。演出那兩晚除了與多位步入中年的舊日戰友聚首重溫過去，也見到很多年青面孔到來對演出表示支持，真令人有點意外和感動。

　　二十年說短不算短，能對一種藝術堅持二十年實在難得，特別是一門冷門藝術。《愚公移山》之後，2008年藝穗會邀得韓國導演尹鍾連為藝穗默劇實驗室進行形體劇場工作坊，之後再協助排演形體劇場《Why Not.一試無妨》，參加2009年韓國春川默劇節及臺北藝穗節。同年，前藝穗默劇實驗室成員，「默寄默劇團」創辦人黃國忠先生亦舉辦了香港第一屆默劇節，規模雖然很小，但總算為香港默劇繼續燃點亮光。

　　默劇雖重現曙光，螢火依然微弱。香港間有默劇工作坊舉行，但參加人數並不多，一些學校也設有默劇課外活動，可惜祇教授一些摸牆拉繩的基本技巧，沒有伸延發展的長遠計劃。十多年前的香港，曾是亞洲唯一全城認識默劇和默劇演出活躍的城市，現今只算是一種可有可無的冷灶神牌，默劇在香港難道就此消沉？

2011年3月,在藝穗默劇實驗室成員鄺偉泉和吳苑君兩人策劃下,完成一個名為《尋苗植默》的默劇播種和育苗之旅,目的是通過默劇工作坊近距離接觸和觀察今天的「80後」、「90後」對默劇的興趣和反應,並從中了解、分析他們與1980年代的青少年有何異同,特別是接受陌生挑戰和持久探索能力方面,這兩種能力在默劇藝術中是極為重要的。當然,雖說是默劇播種育苗之旅,總帶有一點點重燃香港默劇的意圖。

《尋苗植默》默劇播種和育苗之旅為期兩月,經吳苑君和聖嘉勒女書院副校長安排舉辦默劇短期課程的有三間中學:聖嘉勒女書院、嘉諾撒培德書院和拔萃男書院;鄺偉泉則聯絡中大邵逸夫堂藝術行政主任辦公室舉辦了自由參加的默劇工作坊,以上活動的反應和效果比想像中要好,特別是聖嘉勒女書院的「90後」和中大的「80後」,他們的熱情和聰敏,使我有回到二十多年前中大校外課程和藝穗默劇實驗室的感覺。而其他兩間中學,尤其是拔萃男書院,學生學習態度明顯地受到社會實用價值薰陶,因而對與創意和想像有關的藝術,較難接受和適應。

從這次默劇播種和育苗之旅發現,這群「80後」、「90後」後是擁有接受陌生挑戰能力的,這或許是香港年輕人的特質。但持久探索能力,則可能因現時香港社會充斥著短視、急功、以粗鄙為時尚風氣做成的思維障礙,不利於持久、廣闊、深入探索。事實上,即或有進入了默劇殿堂者,也因眼前功利而把默劇變成譁眾、浮淺、鄙俗的鬧劇演出。

結語

一門藝術之通行,天時、地利、人和,缺一不可。1980年代的香港經濟起飛,那時雖有中英爭議之困局,但充滿朝氣的年青人將之轉化為

藝術動力。不評定水準但求參加者勇於表演的藝穗節和藝穗會在1983年出現，給充滿理想但缺乏經驗和金錢的年青人提供一個表達和實驗理想的場地。中大校外課程不計較學歷，邀請有經驗的藝人作導師，令學員從實學中發揮潛藏的天份並培養技巧。還有當時的英國文化協會給予香港默劇很大支持和贊助，政府也樂意多方面給予默劇推廣機會。

2006年我回港觀察香港默劇能否再發展，也從天時、地利、人和的角度出發。眼前所見的年青人活力依然，對默劇的興趣也很濃厚 --- 人和已有；藝穗會對默劇支持仍然不懈，不少學校也樂意撥出時間和場地發展默劇 --- 地利亦存；但社會瀰漫著散渙氣氛，經濟發展減慢令默劇獲得贊助的機會萎縮 --- 天時之缺則非人力一時可以改變。

日落必然再有日出，一門能立足世界二千年到今天還在延伸的藝術，是值得有心人薪火相傳的。我建議有理想的默劇藝人要作好準備，在黎明將至前多吸收儲蓄默劇和其他藝術知識，如舞蹈、戲曲、繪畫、雕塑等。雖或不能遠遊親歷各國默劇節，但每年的香港藝術節總會有形體劇場（默劇的另一分支）節目可選擇，而每年在不同專題的藝術節多有邀請海外藝團來港，其中不乏與形體劇場有關的演出，臨場觀摩是我過去重要的學習經驗。在網絡非常方便的今天，多參考各式表演以擴闊眼光，又可與國際思潮同步。地利人和若能守持，樂觀等待天時的改變，重振香港默劇並非不可能。

本文獲香港中文大學中國文化研究授權轉載自：
霍達昭：〈香港默劇的昨天、今天〉，《二十一世紀》（香港中文大學中國文化研究所），2013年6月號。

附錄二

人物及詞匯中英對照表(按中文筆劃序)

譯名:簡稱及全名	原文	出現之篇章
三藩市默劇團	San Francisco Mime Troupe	● 綜論二十世紀的默劇:現代默劇
巴洛 (尚路易·巴洛)	Jean-Louis Barrault	● 咪～、默劇和Pantomime ● 綜論二十世紀(直到1950年)的默劇發展 ● 傻瓜,或稱小丑的怪夢 ● 默劇中的技法
心窩 (在「形體劇場」一文中譯作核心肌肉群)	Solar Plexus	● 默劇、形體、劇場
幻象	Illusion	● 咪～、默劇和Pantomime ● 綜論二十世紀的默劇:現代默劇 ● 默劇和其他
必必	Bip	● 談默劇 ● 靜默的探險
布萊希特	Bertrand Brecht	● 庫奧的藝術 ● 意大利即興喜劇和演員 ● 默劇中的技法
白丑	Pierrot	● 前言 ● 談默劇 ● 咪～、默劇和Pantomime ● 綜論二十世紀(直到1950年)的默劇發展 ● 靜默的藝術乃是泉源 ● 靜默的探險 ● 英國的默劇 ● 意大利即興喜劇和演員 ● 愚蠢的代價 ● 街頭默劇
史坦尼斯拉夫斯基	Stanislavski	● 庫奧的藝術 ● 默劇中的技法

弗拉泰利尼家族	Fratellini	• 綜論二十世紀（直到1950年）的默劇發展 • 生命猶如雲雀
米山曼舞子	Mamako Yoneyama	• 綜論二十世紀的默劇：現代默劇 • 禪默劇
朱韋 （路易·朱韋）	Louis Jouvet	• 靜默的藝術乃是泉源 • 傻瓜，或稱小丑的怪夢
仿黑人歌舞團	Minstrel Show	• 我會從實招來
仿鬧劇	Burlesque	• 我會從實招來
安緹斯 （艾娜·安緹斯）	Angna Enters	• 咪～、默劇和Pantomime • 綜論二十世紀（直到1950年）的默劇發展 • 默劇是一門孤獨的藝術 • 綜論二十世紀的默劇：現代默劇
利法 （塞格·利法）	Serge Lifar	• 綜論二十世紀（直到1950年）的默劇發展 • 默劇人與舞者
芬南布力斯之友	Cercle Funam-bulesque	• 咪～、默劇和Pantomime • 靜默的藝術乃是泉源
亞陶 （安東寧·亞陶）	Antonin Artaud	• 咪～、默劇和Pantomime • 默劇和其他
林代 （麥克斯·林代）	Max Linder	• 綜論二十世紀（直到1950年）的默劇發展 • 林代眼中的電影
拉邦 （魯道夫·拉邦）	Rudolf Laban	• 綜論二十世紀（直到1950年）的默劇發展 • 對動作的掌握
彼哲 （里安納·彼哲）	Leonard Pitt	• 譯者序 • 咪～、默劇和Pantomime

卓別靈 (差利·卓別靈)	Charlie Chaplin	• 綜論二十世紀(直到1950年)的默劇發展 • 我對戲劇的直覺 • 我的鬧劇奇妙世界 • 大地眼中的電影 • 俄國的小丑 • 意大利即興喜劇和演員 • 貝納德·伯爾格和國家聾人劇團 • 默劇中的技法 • 街頭默劇
「肥仔」阿巴寇	Fatty Arbuckle	• 綜論二十世紀(直到1950年)的默劇發展
《青春、成熟、老邁與死亡》	Youth, Maturity, Old Age and Death	• 靜默的探險 • 默劇中的技法
威廉姆 (伯特·威廉姆)	Bert Williams	• 綜論二十世紀(直到1950年)的默劇發展 • 伯特·威廉姆,所有人
哈樂昆	Harlequin	• 談默劇 • 街頭默劇
科萊特 (西多妮—加布裏埃爾·科萊特)	Sidone-Gabrielle Colette	• 綜論二十世紀(直到1950年)的默劇發展 • 音樂廳
華格 (佐治·華格)	Georges Wague	• 咪～、默劇和Pantomime • 綜論二十世紀(直到1950年)的默劇發展 • 音樂廳
馬素 (馬塞·馬素)	Marcel Marceau	• 芭莉·羅夫女士生平簡介 • 談默劇 • 綜論二十世紀(直到1950年)的默劇發展 • 綜論二十世紀的默劇:現代默劇 • 靜默的探險 • 小丑狄米茲 • 意大利即興喜劇和演員 • 默劇中的技法

庫奧 （達利奧・庫奧）	Dario Fo	• 綜論二十世紀的默劇：現代默劇 • 庫奧的藝術
核心肌肉群（在「默劇、形體、劇場」一文中譯作心窩）	Solar Plexus	• 形體劇場
馬素尼—金文泰 （卡盧・馬素尼—金文泰）	Carlo Mazzone-Clementi	• 咪～、默劇和Pantomime • 意大利即興喜劇和演員 • 綜論二十世紀的默劇：現代默劇
萊路 （斯坦・萊路）	Stan Laurel	• 綜論二十世紀（直到1950年）的默劇發展 • 萊路與哈地 • 媒體中的默劇
萊路和哈地	Laurel and Hardy	• 綜論二十世紀（直到1950年）的默劇發展 • 萊路與哈地
基頓 （巴斯特・基頓）	Buster Keaton	• 綜論二十世紀（直到1950年）的默劇發展 • 我的鬧劇奇妙世界 • 大地眼中的電影 • 意大利即興喜劇和演員
寇蒂斯 （保羅・J・寇蒂斯）	Paul J. Curtis	• 咪～、默劇和Pantomime • 綜論二十世紀的默劇：現代默劇 • 美國默劇 • 默劇中的技法
國際默劇與啞劇人組織	International Mimes and Panto-mimists	• 前言 • 綜論二十世紀的默劇：現代默劇 • 美國默劇
彩面小丑	Auguste	• 小丑狄米茲 • 愚蠢的代價
菲爾茲	W.C. Fields	• 綜論二十世紀（直到1950年）的默劇發展 • 意大利即興喜劇和演員
萍諾與瑪杜	Pinok and Matho	• 綜論二十世紀的默劇：現代默劇 • 默劇和其他
滑稽默劇、滑稽劇	Burlesque Mime, Burlesque	• 英國的默劇 • 媒體中的默劇

斯克爾頓 （雷德·斯克爾頓）	Red Skelton	· 綜論二十世紀（直到1950年）的 默劇發展 · 我的喜劇世界 · 我會從實招來
詠隊（在「默劇、形體、 劇場」一文中譯作團隊）	Chorus	· 默劇中的技法
森尼特 （麥克·森尼特）	Mack Sennett	· 我的鬧劇奇妙世界 · 意大利即興喜劇和演員
勞埃德 （哈羅德·勞埃德）	Harold Lloyd	· 綜論二十世紀（直到1950年）的 默劇發展 · 我的鬧劇奇妙世界 · 我的喜劇世界 · 意大利即興喜劇和演員
葛素拉 （樂天·葛素拉）	Lotte Goslar	· 綜論二十世紀的默劇：現代默劇 · 真甜蜜啊…
遊船表演	Showboat	· 我會從實招來
意大利即興喜劇	Commedia dell' Arte	· 默劇、形體、劇場 · 意大利即興喜劇和演員
瑞士默劇團	Mummenschantz	· 綜論二十世紀的默劇：現代默劇 · 面具、默劇和瑞士默劇團
奧蒂羅	Otero	· 綜論二十世紀（直到1950年）的 默劇發展 · 靜默的藝術乃是泉源
綜藝喜劇	Vaudeville	· 我會從實招來
團隊（在「默劇中的技 法」一文中譯作詠隊）	Chorus	· 默劇、形體、劇場
德雷斯勒	Marie Dressler	· 綜論二十世紀（直到1950年）的 默劇發展 · 意大利即興喜劇和演員
德庫 （艾蒂安·德庫）	Etienne Decroux	· 談默劇 · 綜論二十世紀（直到1950年）的 默劇發展 · 每一種藝術都有其領域 · 默劇中的技法 · 傻瓜，或稱小丑的怪夢

樂寇 (賈克·樂寇)	Jacques Lecoq	• 芭莉·羅夫女士生平簡介 • 咪～、默劇和Pantomime • 綜論二十世紀(直到1950年)的默劇發展 • 默劇、形體、劇場 • 意大利即興喜劇和演員
碓格	Grock	• 綜論二十世紀(直到1950年)的默劇發展 • 生命猶如雲雀
德畢侯 (加斯柏·德畢侯)	Gaspard Deburau	• 綜論二十世紀(直到1950年)的默劇發展 • 戲劇藝術與默劇 • 默劇、形體、劇場 • 英國的默劇 • 傻瓜,或稱小丑的怪夢
鬧劇	Slapstick	• 我的鬧劇奇妙世界
賣藥表演	Medicine Show	• 我會從實招來
駐場劇團	Stock Company	• 我會從實招來
薩佛林	Severin	• 談默劇 • 咪～、默劇和Pantomime
魏德曼 (查理斯·魏德曼)	Charles Weidman	• 綜論二十世紀(直到1950年)的默劇發展 • 隨便說說 • 綜論二十世紀的默劇:現代默劇
戴維斯 (R·G·戴維斯)	R. G. Davis	• 咪～、默劇和Pantomime • 默劇中的技法
總體劇場	Total Theatre	• 前言 • 綜論二十世紀的默劇:現代默劇
蘭登 (哈利·蘭登)	Harry Langdon	• 綜論二十世紀(直到1950年)的默劇發展 • 意大利即興喜劇和演員
體本默劇	Corporeal Mime	• 談默劇 • 綜論二十世紀(直到1950年)的默劇發展

各篇文章中的註釋

談默劇

1 意大利即興喜劇的經典角色。哈樂昆比較搞笑和滑稽，而皮埃羅（白丑）則屬憂鬱類。

綜論二十世紀（直到1950年）的默劇發展

2 卡路蓮·奧蒂羅（Caroline Otero），著名法國女默劇藝人，情史相當精彩，被比喻為歌劇中的潑辣而充滿魅力的角色卡門。

3 作家科萊特（Colette）亦是十九世紀著名女默劇人之一，曾獲諾貝爾文學獎提名。

4 作家詹姆士·瑟伯（James Thurber）擅寫諷刺小說，刻畫大都市的小人物。《當代寓言集》是他其中一本代表作。

靜默的藝術乃是泉源

5 安迪·安東尼（Andre Antoine, 1858-1943）被譽為現代戲劇中Mise-en-scene手法之父。

6 查爾斯·杜林（Charles Dullin, 1885-1949）因為將東方戲劇技巧融入西方劇場而聞名。

7 路易·祖法特（Louis Jouvet, 1887-1951）為法國名演員及導演。

8 加士頓·白提（Gaston Baty, 1885-1952）為法國劇作家及導演。

9 查爾斯·德畢侯（Charles Debarau）繼承父業，成為風靡一時的默劇大師。他在巴黎創立芬南布力斯劇場，然後轉往波爾多和馬賽演出，被譽為法國南方學派默劇的創始者。他的學生路易·盧夫（Louis Rouffe）把技藝傳授給十九世紀末著名默劇人薩佛林·卡法拉（Severin Cafferra），時人只稱他為薩佛林。

¹⁰ 保羅·利更(Paul Legrand)是加斯柏·德畢侯的學生。他與查爾斯·德畢侯走上不同的藝術方向，以創新風格表達意念。

¹¹ 馬賽學派(Marseille School)，請參閱有關查爾斯·德畢侯的註腳。

¹² 芬南布力斯之友(Cercle Funambulesque)是著名的巴黎戲劇組織，人才輩出，演出受意大利即興喜劇影響的默劇。請同時參閱有關查爾斯·德畢侯的註腳。

¹³ 菲莉西亞·馬勒(Felicia Mallet)是十九世紀著名女默劇人之一。

¹⁴ 意大利即興喜劇中一個粗魯的小丑角色。

¹⁵ 姬絲蒂安·曼德尼斯(Christiane Mendelys)為多才多藝的法國作曲家、電影和劇場演員，亦是影評人和默劇人佐治·華格的妻子。

¹⁶ 保羅·法蘭(Paul Franck)是法國演員、劇作家及導演。

¹⁷ 狄亞格烈夫(Sergei Diaghilev, 1872-1929)是俄國芭蕾舞家，並將其他藝術形式(例如默劇)融入舞蹈之中。

¹⁸ 藝名為「阿根廷之女」(La Argentina)的Antonia Merce是著名西班牙舞者，她把亞爾班尼士的多首曲目編為舞蹈。

¹⁹ 德杭(Andre Derain)是野獸派畫家，他在1933年為舞蹈家巴蘭欽(Balanchine)編排的舞劇「壯麗」設計面具。

²⁰ 兩次世界大戰期間產生了許多表達嚴肅議題的舞蹈，柯特·尤斯(Kurt Jooss)芭蕾舞團的《綠色桌子》便是其中著名的一套。

音樂廳

²¹ 科萊特在1948年榮獲諾貝爾文學獎提名。

我會從實招來

²² 1920年代的美國演藝界充滿各式各樣的正規、流動和媚俗的表演形式，詳情可參考Cullen, Hackman & McNeilly (2007)及Green (2004)的著作。

靜默的探險

23 尚‧奧古斯特‧多米尼克‧安格爾 (Jean Auguste Dominique Ingres) 是法國新古典主義畫家。

24 喬凡尼‧巴蒂斯塔‧提埃坡羅 (Giovanni Battista Tiepolo) 是意大利威尼斯畫派畫家。

25 源自莎士比亞的「皆大歡喜」(As You Like It)：將人生比喻為演員上、下臺中間所演的七個時期：嬰兒、孩童、戀人、軍人、法官、老糊塗和返老還童。

26 波特萊爾 (Charles Baudelaire) 是法國十九世紀詩人。

27 《好兵帥克》是捷克作家雅洛斯拉夫 (Jaroslav Hašek) 於1930年出版的喜劇經典作品。

默劇、形體、劇場

28 這一段相當難譯，說的是樂寇理解的默劇，有點像中國人的「道」。

29 樂寇用身體的Impression與Expression作對比，他所指的Impression，並非「給人的印象」，譯作「印記」會比較合適。

30 Solar plexus有多種譯法：太陽輪、腹腔神經叢、心口，或心窩，意指人體中心，胃部後面延伸出來的神經網絡。

31 許多人會將Chorus譯作歌詠隊，但我認為「團隊」或「一體」更能表達每個人在當中的角色和他們之間緊密的契合。

俄國的小丑

32 面具在默劇中並非只是指套上面上的外物。面具可以是一切掩蓋本來面目、傳遞角色訊息的外相，可以是化粧（一個極端是京劇的面譜，另一個極端可能是時下女性的「裸粧」），也可以是遮蓋全身的道具（瑞士默劇團是典型的例子）；當然也包括傳統的面具和半面具。

庫奧的藝術

33 史特利拉（Giorgio Strehler）是意大利米蘭短笛劇院（Piccolo Teatro）的導演。

顛倒的世界

34 從作者的描述，可以肯定基斯特·巴頓（Kuster Beaton）即是巴斯特·基頓（Buster Keaton）的化名。本書收錄了基頓的一篇文章《我的鬧劇奇妙世界》。

禪默劇

35 引自日本江戶時代前期的一位俳諧師松屋芭蕉的名句。

36 幽玄（Yu gen）：在日本文化中指「神秘的廣博感」。

意大利即興喜劇和演員

37 法文原文是「Je prends mon bien ou je le trouve」。作者引用的英譯有誤，比較貼切的譯法是「I pounce on what is mine, wherever I find it」，源出於莫里哀在被指抄襲時的自我解說，反映他兼收並蓄、集各家風格大成的創作習慣。

愚蠢的代價

38 奇洛斯基（Antonin Kludsky）是捷克最大馬戲團的創辦人。

貝納德·伯爾格和國家聾人劇團

39 高納德學院（Gallaudet）是美國為失聰人士設立的首座高等學院。

40 約翰·高爾斯華綏（John Galsworthy）是英國著名小說家及劇作家。劇本《逃亡》（Escape）在倫敦及紐約連演多月，更被拍成電影。

41 「世界人」意指一個本質上的「人」，一個不繫於文化種族背景的「人」。

42 本書其他部分譯作德畢候。

參考書目

莎士比亞叢書之33《李爾王》，梁實秋譯，遠東圖書公司，中華民國80年11月版。

《詩意的身體》，賈克·樂寇著，馬照琪譯，桂冠圖書股份有限公司，2005年2月版。

《動作的文藝復興：現代默劇小史》，耿一偉著，黑眼睛文化事業有限公司，2007年。

「芭莉·羅夫女士，默劇藝術大師，終年86歲」，記者：Myrna Oliver，洛杉磯時報Los Angeles Times，2003年11月3日。https://www.latimes.com/archives/la-xpm-2002-nov-03-me-rolfe3-story.html

https://www.legacy.com/obituaries/eastbaytimes/obituary.aspx?n=bari-rolfe&pid=569355

https://www.sfgate.com/bayarea/article/Bari-Rolfe-grand-lady-of-mime-2758631.php

Green, W. (2004). Gags, Girls and Guffano: Burlesque in Downtown New York in the Twenties. In Art, Glitter and Glitz: Mainstream Playwrights and Popular Theatre in 1920s. (ed. Gewirtz, A.& Kolb, J.J.), p.189-196.

Cullen, F., Hackman, F. & McNeilly, D. (2007). Vaudeville Old and New: An Encyclopedia of Variety Performances in America. Routledge.

形體大師的心得——默劇藝術文匯（上）
Mimes on Miming: Writings on the Art of Mime

英文原著

編者：芭莉·羅夫 Bari Rolfe

英文初版：1979年12月

出版：Panjandrum / Aris Books

美國版權局註冊號碼 TX0001486752

ISBN: 978-0-921845-51-5

©Charlemagne Press

中文譯版

翻譯：一本·小雪

封面設計：Morrissey Cheung

出版：Anything & Everything Limited

電郵： barirolfebooks@gmail.com

網址：www.aehk.net

出版日期：2020年6月初版

承印：新世紀印刷實業有限公司

ISBN: 978-988-12885-6-1

圖書分類：戲劇、表演藝術

定價：港幣98元正

©2019 繁體中文及簡體中文版 - Patricia Woo

香港印刷
版權所有 翻印必究